义务教育教科书

数学

九年级
下册

人民教育出版社 课程教材研究所
中学数学课程教材研究开发中心 编著

人民教育出版社
·北京·

主　　编：林　群
副 主 编：田载今　薛　彬　李海东
本册主编：章建跃

主要编写人员：张劲松　宋莉莉　李龙才　刘长明　邓泾河
严博文　郑新明　黎灿明　鲁欲民
责任编辑：张劲松
美术编辑：王俊宏

封面设计：吕　旻　王俊宏
插　　图：王俊宏　文鲁工作室（封面）

义务教育教科书
数　学
九年级　下册
人民教育出版社　课程教材研究所
中学数学课程教材研究开发中心　编著
*
人民教育出版社出版
（北京市海淀区中关村南大街17号院1号楼　邮编：100081）
网址：http://www.pep.com.cn
湖南出版中心重印
湖南省新华书店发行
湖南天闻新华印务有限公司印装
*
开本：787毫米×1 092毫米　1/16　印张：7.5　字数：123 000
2014年8月第1版　2015年10月第1次印刷（2016春）
印数：1—80 000册
ISBN 978-7-107-29045-9　定价：7.50元

本册导引

亲爱的同学，新学期又开始了。这是你在初中阶段要学习的最后一册数学教科书。

函数是描述现实世界中变化规律的数学模型。这里，我们将认识函数家族中的一个新成员——**“反比例函数”**。与前面学习一次函数和二次函数一样，我们将研究它的图象和性质，利用它来描述某些变化规律，解决一些实际问题，进一步提高对函数的认识和应用能力。

日常生活中，我们常常会见到一些形状相同的图形。它们具有什么共同的特征？怎样从数学的角度去认识这种现象？在**“相似”**一章，你将会得到答案。类似于全等，相似是图形之间的一种特殊关系。与平移、轴对称、旋转一样，它还是图形之间的一种基本变化。学完了这一章，你将会对上述问题有更深刻的理解，并利用相似去解决一些实际问题。

测量长度或角度是我们日常生活中经常遇到的问题。在前面的学习中，我们学习了一些利用全等或相似来测量的方法，但都要用到两个三角形。**“锐角三角函数”**将带我们去研究直角三角形中的边角关系，利用它，就可以很方便地解决与直角三角形有关的测量问题了。

在建筑施工和机械制造中，常常要使用三视图。在七年级上册，我们已初步了解了从不同方向看立体图形可以得到不同的平面图形。在**“投影与视图”**一章，我们将了解投影的基础知识，借助投影来认识视图，并进一步利用视图来认识立体图形与平面图形的关系。学完了本章，相信你对空间图形的认识一定会有进一步的提高。

过了这个学期，你就要初中毕业了，我们这套《义务教育教科书·数学》伴你走过了三年的初中学习生活。回忆一下，在这三年里，你学到了哪些数学知识？对数学有了进一步的认识吗？

今后，无论你是继续学习还是参加工作，都希望你能用数学的眼光去观察世界，用数学的头脑去思考问题，用所学的数学知识去解决问题。愿你今后取得更大的进步。

目　　录

第二十六章　反比例函数

第二十七章　相似

第二十八章 锐角三角函数

第二十九章 投影与视图

第二十六章　反比例函数

同一条铁路线上，由于不同车次列车运行时间有长有短，所以它们的平均速度有快有慢. 由$s=vt$可知，在路程s一定的前提下，平均速度v与运行时间t成反比例. 从函数角度看，平均速度v随运行时间t的变化而变化的规律，可表示为$v=\frac{s}{t}$（s为常数），这类函数就是本章要研究的反比例函数.

与研究一次函数、二次函数类似，我们将在反比例函数定义的基础上，研究反比例函数的图象和性质，并运用反比例函数解决一些实际问题.

26.1 反比例函数

26.1.1 反比例函数

思考

下列问题中，变量间具有函数关系吗？如果有，它们的解析式有什么共同特点？

(1) 京沪线铁路全程为 1 463 km，某次列车的平均速度 v（单位：km/h）随此次列车的全程运行时间 t（单位：h）的变化而变化；

(2) 某住宅小区要种植一块面积为1 000 m^{2}的矩形草坪，草坪的长 y（单位：m）随宽 x（单位：m）的变化而变化；

(3) 已知北京市的总面积为 1.68×10^4 km^2，人均占有面积 S（单位：km^2/人）随全市总人口 n（单位：人）的变化而变化.

问题（1）中，有两个变量 t 与 v，当一个量 t 变化时，另一个量 v 随着它的变化而变化，而且对于 t 的每一个确定的值，v 都有唯一确定的值与其对应. 问题（2）（3）也一样. 所以这些变量间具有函数关系，它们的解析式分别为

$$v=\frac{1\,463}{t},\ y=\frac{1\,000}{x},\ S=\frac{1.68\times10^4}{n}.$$

上述解析式都具有$y=\frac{k}{x}$ 的形式，其中 k 是非零常数.

一般地，形如 $y=\frac{k}{x}$（k 为常数，$k\neq0$）的函数，叫做**反比例函数**（inverse proportional function），其中 x 是自变量，y 是函数. 自变量 x 的取值范围是不等于 0 的一切实数.

> 在 $y=\frac{k}{x}$ 中，自变量 x 是分式$\frac{k}{x}$的分母，当 $x=0$ 时，分式$\frac{k}{x}$无意义.

例如，在上面的问题（1）中，当路程一定(1 463 km)时，$v=\frac{1\,463}{t}$表示速度 v 是时间 t 的反

比例函数，当 t 取每一个确定的值时，v 都有唯一确定的值与其对应.

例 1　已知 y 是 x 的反比例函数，并且当 $x=2$ 时，$y=6$.

（1）写出 y 关于 x 的函数解析式；

（2）当 $x=4$ 时，求 y 的值.

分析：因为 y 是 x 的反比例函数，所以设 $y=\frac{k}{x}$. 把 $x=2$ 和 $y=6$ 代入上式，就可求出常数 k 的值.

解：（1）设 $y=\frac{k}{x}$. 因为当 $x=2$ 时，$y=6$，所以有

$$6=\frac{k}{2}.$$

解得

$$k=12.$$

因此

$$y=\frac{12}{x}.$$

（2）把 $x=4$ 代入 $y=\frac{12}{x}$，得

$$y=\frac{12}{4}=3.$$

练习

1. 用函数解析式表示下列问题中变量间的对应关系：

（1）一个游泳池的容积为 2 000 m^3，游泳池注满水所用时间 t（单位：h）随注水速度 v（单位：m^3/h）的变化而变化；

（2）某长方体的体积为 1 000 cm^3，长方体的高 h（单位：cm）随底面积 S（单位：cm^2）的变化而变化；

（3）一个物体重 100 N，物体对地面的压强 p（单位：Pa）随物体与地面的接触面积 S（单位：m^2）的变化而变化.

2. 下列哪些关系式中的 y 是 x 的反比例函数？

$y=4x$，$\frac{y}{x}=3$，$y=-\frac{2}{x}$，$y=6x+1$，$y=x^2-1$，$y=\frac{1}{x^2}$，$xy=123$.

3. 已知 y 与 x^2 成反比例，并且当 $x=3$ 时，$y=4$.

（1）写出 y 关于 x 的函数解析式；

（2）当 $x=1.5$ 时，求 y 的值；

（3）当 $y=6$ 时，求 x 的值.

26.1.2 反比例函数的图象和性质

我们知道，一次函数 $y=kx+b$（$k\neq0$）的图象是一条直线，二次函数 $y=ax^2+bx+c$（$a\neq0$）的图象是一条抛物线. 反比例函数 $y=\dfrac{k}{x}$（k 为常数，$k\neq0$）的图象是什么样呢？我们用“描点”的方法，画出反比例函数的图象，并利用图象研究反比例函数的性质.

我们先研究 $k>0$ 的情形.

例 2 画出反比例函数 $y=\dfrac{6}{x}$与 $y=\dfrac{12}{x}$的图象.

解： 列表表示几组 x 与 y 的对应值（填空）：

x	…	-12	-6	-4	-3	-2	-1	1	2	3	4	6	12	…
$y=\dfrac{6}{x}$	…			-1.5	-2			6		2		1		…
$y=\dfrac{12}{x}$	…	-1	-2		-4	-6		12		4	3		1	…

你还记得如何用“描点”的方法画出函数的图象吗？

描点连线：以表中各对对应值为坐标，描出各点，并用平滑的曲线顺次连接这些点，就得到函数 $y=\dfrac{6}{x}$与 $y=\dfrac{12}{x}$的图象（图 26.1-1）.

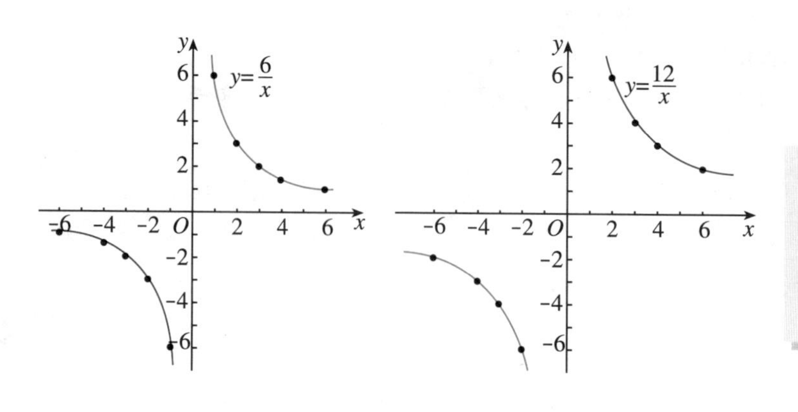

图 26.1-1

利用信息技术工具，可以很容易地画出反比例函数的图象.

思考

观察反比例函数 $y=\dfrac{6}{x}$ 与 $y=\dfrac{12}{x}$ 的图象，回答下面的问题：

（1）每个函数的图象分别位于哪些象限？

（2）在每一个象限内，随着 x 的增大，y 如何变化？你能由它们的解析式说明理由吗？

（3）对于反比例函数 $y=\dfrac{k}{x}$（$k>0$），考虑问题（1）（2），你能得出同样的结论吗？

一般地，当 $k>0$ 时，对于反比例函数 $y=\dfrac{k}{x}$，由函数图象（图 26.1-2），并结合解析式，我们可以发现：

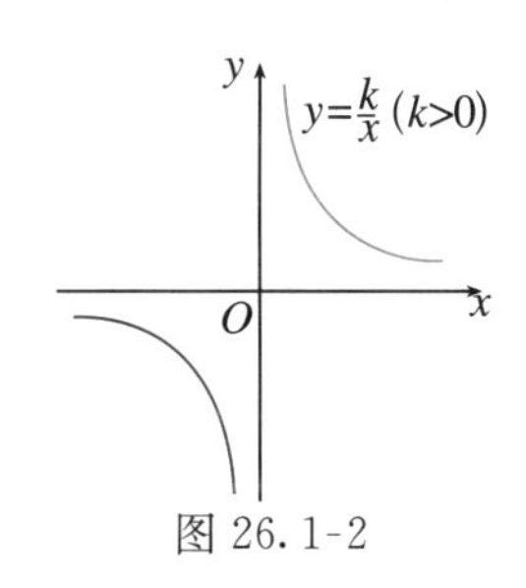

图 26.1-2

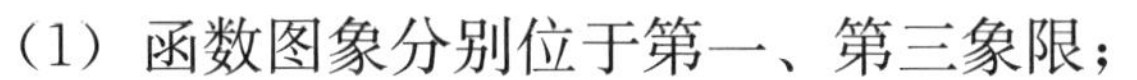

（1）函数图象分别位于第一、第三象限；

（2）在每一个象限内，y 随 x 的增大而减小.

当 $k<0$ 时，反比例函数 $y=\dfrac{k}{x}$ 的图象和性质是怎样的呢？

你能由函数的解析式说明这些结论吗？

探究

回顾上面我们利用函数图象，从特殊到一般研究反比例函数 $y=\dfrac{k}{x}$（$k>0$）的性质的过程，你能用类似的方法研究反比例函数 $y=\dfrac{k}{x}$（$k<0$）的图象和性质吗？

一般地，当 $k<0$ 时，对于反比例函数 $y=\dfrac{k}{x}$，由函数图象（图 26.1-3），并结合解析式，我们可以发现：

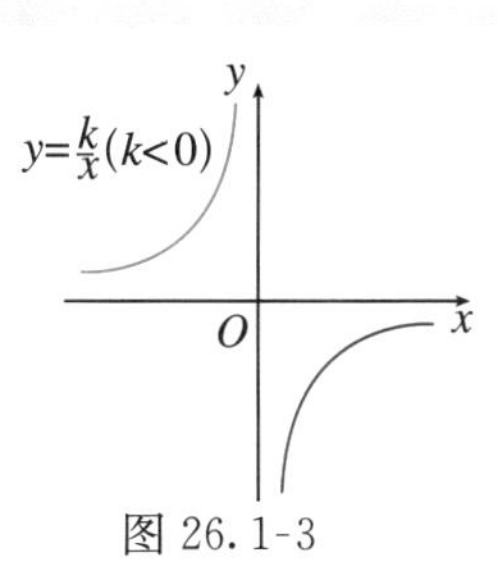

图 26.1-3

（1）函数图象分别位于第二、第四象限；

（2）在每一个象限内，y 随 x 的增大而增大.

反比例函数的图象由两条曲线组成，它是双曲线.

一般地，反比例函数 $y=\frac{k}{x}$ 的图象是双曲线，它具有以下性质：

（1）当 $k>0$ 时，双曲线的两支分别位于第一、第三象限，在每一个象限内，y 随 x 的增大而减小；

（2）当 $k<0$ 时，双曲线的两支分别位于第二、第四象限，在每一个象限内，y 随 x 的增大而增大.

练习

1.（1）下列图象中是反比例函数图象的是（　　）.

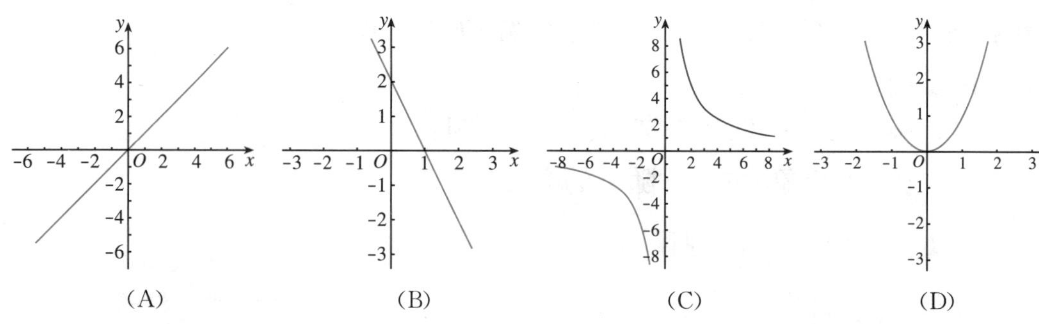

（2）如图所示的图象对应的函数解析式为（　　）.

（A）$y=5x$　　（B）$y=2x+3$　　（C）$y=\frac{4}{x}$　　（D）$y=-\frac{3}{x}$

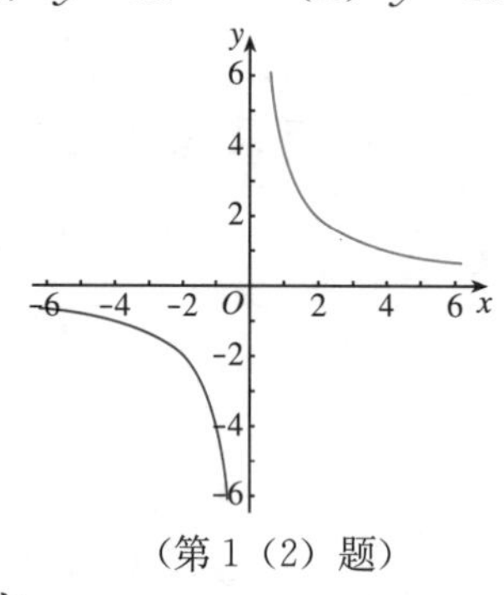
（第 1（2）题）

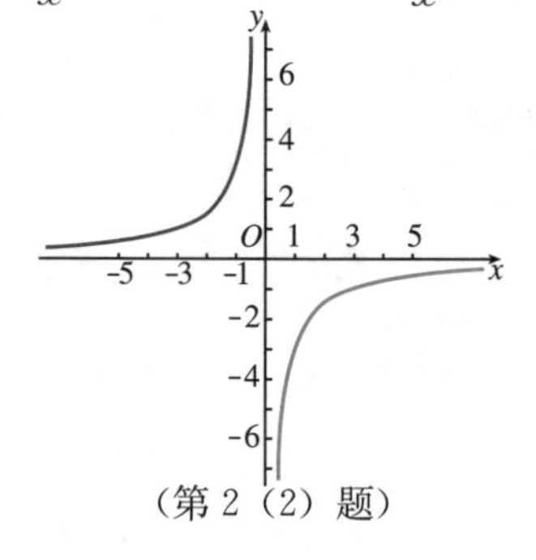
（第 2（2）题）

2. 填空：

（1）反比例函数 $y=\frac{5}{x}$ 的图象在第____象限.

（2）反比例函数 $y=\frac{k}{x}$ 的图象如图所示，则 k ____ 0；在图象的每一支上，y 随 x 的增大而____.

例 3 已知反比例函数的图象经过点 $A(2, 6)$.

(1) 这个函数的图象位于哪些象限？y 随 x 的增大如何变化？

(2) 点 $B(3, 4)$，$C\left(-2\frac{1}{2}, -4\frac{4}{5}\right)$，$D(2, 5)$ 是否在这个函数的图象上？

解：(1) 因为点 $A(2, 6)$ 在第一象限，所以这个函数的图象位于第一、第三象限，在每一个象限内，y 随 x 的增大而减小.

(2) 设这个反比例函数的解析式为 $y=\frac{k}{x}$，因为点 $A(2, 6)$ 在其图象上，所以点 A 的坐标满足 $y=\frac{k}{x}$，即

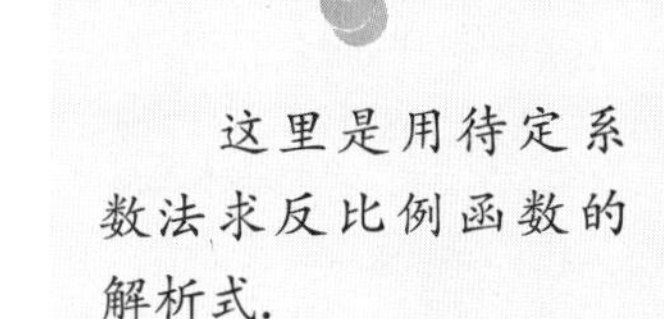

$$6=\frac{k}{2},$$

解得 $$k=12.$$

所以，这个反比例函数的解析式为 $y=\frac{12}{x}$. 因为点 B，C 的坐标都满足 $y=\frac{12}{x}$，点 D 的坐标不满足 $y=\frac{12}{x}$，所以点 B，C 在函数 $y=\frac{12}{x}$ 的图象上，点 D 不在这个函数的图象上.

例 4 如图 26.1-4，它是反比例函数 $y=\frac{m-5}{x}$ 图象的一支. 根据图象，回答下列问题：

(1) 图象的另一支位于哪个象限？常数 m 的取值范围是什么？

(2) 在这个函数图象的某一支上任取点 $A(x_1, y_1)$ 和点 $B(x_2, y_2)$. 如果 $x_1>x_2$，那么 y_1 和 y_2 有怎样的大小关系？

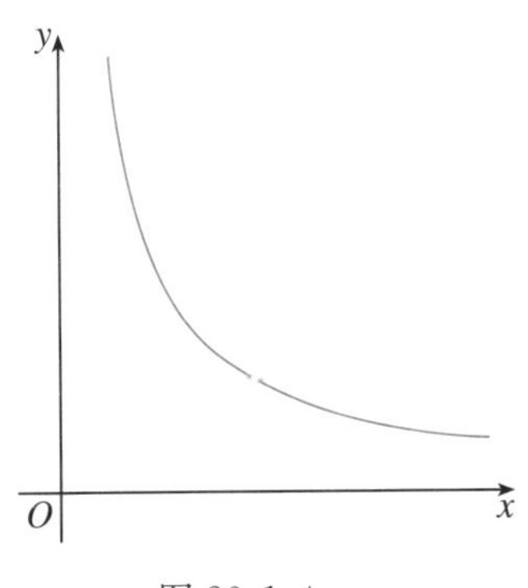

图 26.1-4

解：(1) 反比例函数的图象只有两种可能：位于第一、第三象限，或者位于第二、第四象限. 因为这个函数的图象的一支位于第一象限，所以另一支必位于第三象限.

因为这个函数的图象位于第一、第三象限，所以

$$m-5>0,$$

解得 $$m>5.$$

（2）因为 $m-5>0$，所以在这个函数图象的任一支上，y 都随 x 的增大而减小，因此当 $x_1>x_2$ 时，$y_1<y_2$.

练习

1. 已知一个反比例函数的图象经过点 $A(3, -4)$.
   （1）这个函数的图象位于哪些象限？在图象的每一支上，y 随 x 的增大如何变化？
   （2）点 $B(-3, 4)$，$C(-2, 6)$，$D(3, 4)$ 是否在这个函数的图象上？为什么？
2. 已知点 $A(x_1, y_1)$，$B(x_2, y_2)$ 在反比例函数 $y=\frac{1}{x}$ 的图象上. 如果 $x_1<x_2$，而且 x_1，x_2 同号，那么 y_1，y_2 有怎样的大小关系？为什么？

习题 26.1

复习巩固

1. 写出函数解析式表示下列关系，并指出它们各是什么函数：
   （1）体积是常数 V 时，圆柱的底面积 S 与高 h 的关系；
   （2）柳树乡共有耕地 S（单位：hm^2），该乡人均耕地面积 y（单位：hm^2/人）与全乡总人口 x 的关系.
2. 下列函数中是反比例函数的是（　　）.

   (A) $y=\frac{x}{2}$　　(B) $y=-\frac{\sqrt{5}}{3x}$　　(C) $y=x^2$　　(D) $y=\frac{2}{x+1}$

3. 填空：
   （1）反比例函数 $y=\frac{k}{x}$ 的图象如图（1）所示，则 k ____ 0，在图象的每一支上，y 随 x 的增大而________；
   （2）反比例函数 $y=\frac{k}{x}$ 的图象如图（2）所示，则 k ____ 0，在图象的每一支上，y 随 x 的增大而________；
   （3）若点 $(1, 3)$ 在反比例函数 $y=\frac{k}{x}$ 的图象上，则 $k=$____，在图象的每一支上，y 随 x 的增大而________.

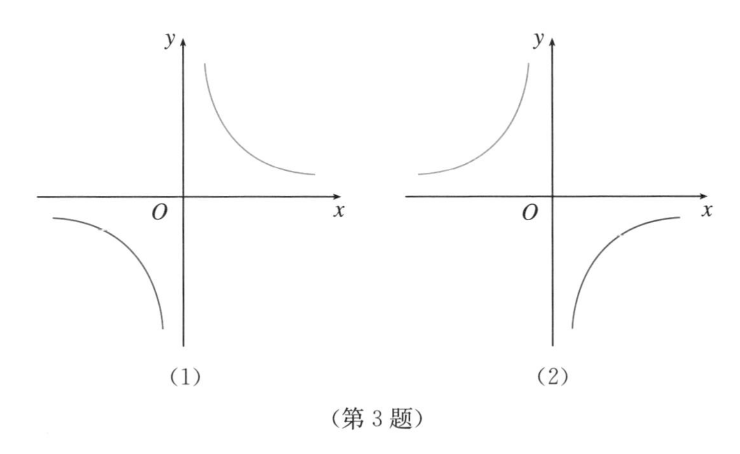

(第 3 题)

4. 如果 y 是 x 的反比例函数，那么 x 也是 y 的反比例函数吗？

综合运用

5. 正比例函数 $y=x$ 的图象与反比例函数 $y=\frac{k}{x}$ 的图象有一个交点的纵坐标是 2.

   (1) 当 $x=-3$ 时，求反比例函数 $y=\frac{k}{x}$ 的值；

   (2) 当 $-3<x<-1$ 时，求反比例函数 $y=\frac{k}{x}$ 的取值范围.

6. 如果 y 是 z 的反比例函数，z 是 x 的反比例函数，那么 y 与 x 具有怎样的函数关系？

7. 如果 y 是 z 的反比例函数，z 是 x 的正比例函数，且 $x\neq0$，那么 y 与 x 具有怎样的函数关系？

拓广探索

8. 在同一直角坐标系中，函数 $y=kx$ 与 $y=\frac{k}{x}$ $(k\neq0)$ 的图象大致是（　　）.

   (A) (1)(2)　　(B) (1)(3)　　(C) (2)(4)　　(D) (3)(4)

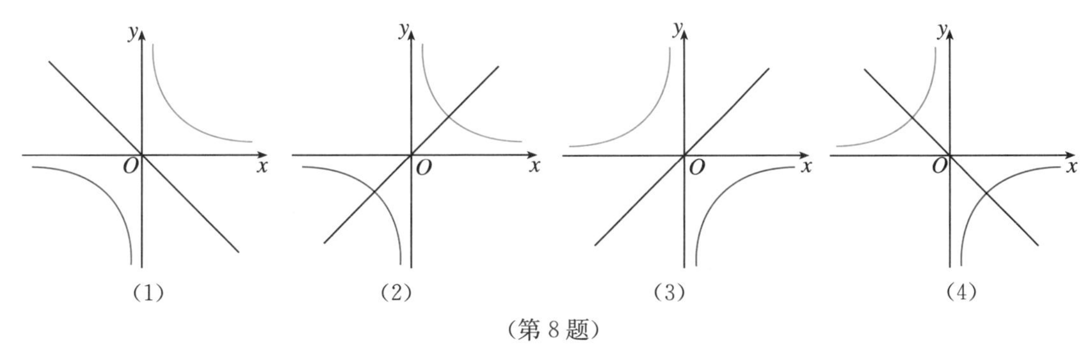

(第 8 题)

9. 已知反比例函数 $y=\frac{w-\sqrt{2}}{x}$ 的图象的一支位于第一象限.

   (1) 图象的另一支位于哪个象限？常数 w 的取值范围是什么？

(2) 在这个函数图象上任取点 $A(x_1, y_1)$ 和 $B(x_2, y_2)$. 如果 $y_1 > y_2$，那么 x_1 与 x_2 有怎样的大小关系？

信息技术应用

探索反比例函数的性质

同学们，我们已经学会了用“描点”的方法画反比例函数的图象，如果描出的点越多，那么画出的函数图象就越准确. 利用计算机可以画出精确度很高的反比例函数的图象，而且画图的速度也非常快.

图 1 就是用计算机中的制图软件画出的反比例函数 $y=\frac{1}{x}$ 的图象.

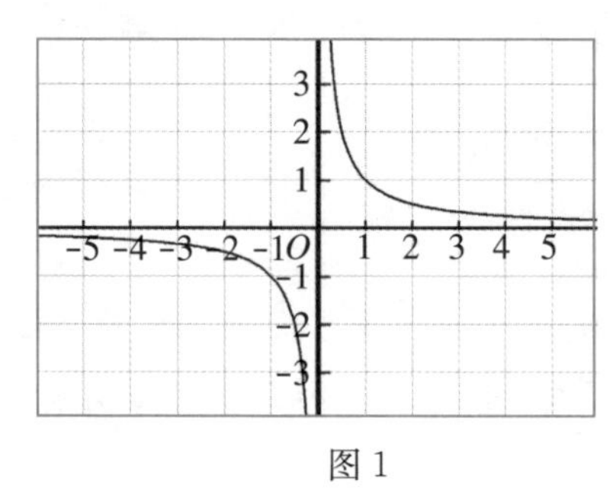

图 1

A:(1.00,1.00)
B:(-1.00,-1.00)

图 2

制图软件不但能帮助我们画出反比例函数的图象，而且能帮助我们研究反比例函数的性质.

如图 2，在反比例函数 $y=\frac{1}{x}$ 的图象上选定 $A(1, 1)$，$B(-1, -1)$ 两点，过 A，B 两点作一条直线，即正比例函数 $y=x$ 的图象.

如图 3，把直线 $y=x$ 选定为对称轴. 在反比例函数 $y=\frac{1}{x}$ 的图象上任意选取一点 C，再作点 C 关于直线 $y=x$ 的对称点 C'. 可以看出，对称点 C' 也在反比例函数 $y=\frac{1}{x}$ 的图象上. 对比点 C 和点 C' 的坐标，看一看它们有什么关系. 当拖动点 C 在反比例函数 $y=\frac{1}{x}$ 的图象上运动时，可以看到点 C' 也在反比例函数 $y=\frac{1}{x}$ 的图象上运动.

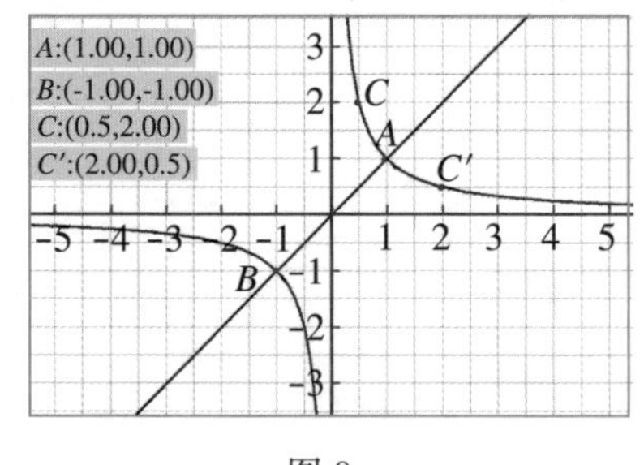

图 3

通过上述的观察，可以发现，反比例函数 $y=\frac{1}{x}$ 的图象关于直线 $y=x$ 对称.

反比例函数 $y=\frac{1}{x}$ 的图象关于直线 $y=-x$ 对称吗？

一般地，反比例函数 $y=\frac{k}{x}$ 的图象既关于直线 $y=x$ 对称，又关于直线 $y=-x$ 对称.

在同一直角坐标系中，画出 $k=1$，2，3，4，5，6 时反比例函数 $y=\frac{k}{x}$ 的图象，可以得到如图 4 所示的图象.

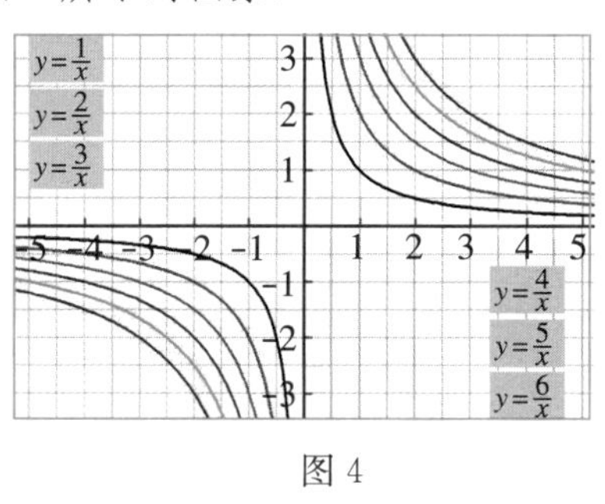

图 4

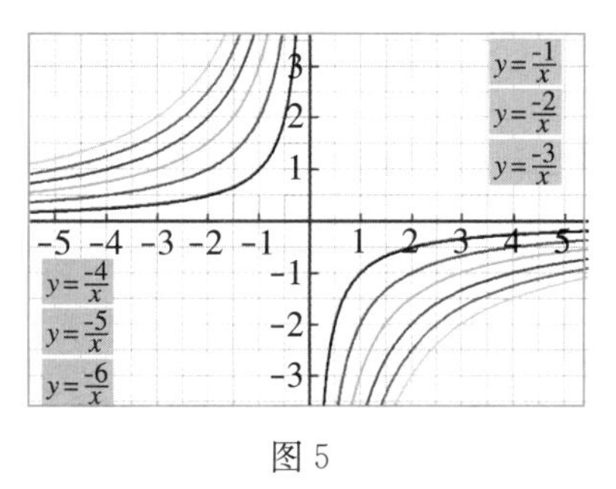

图 5

把 $k=-1$，-2，-3，-4，-5，-6 时反比例函数 $y=\frac{k}{x}$ 的图象画在同一直角坐标系中，就可以得到如图 5 所示的图象.

从图 4 和图 5 中的图象你还能发现什么规律？在同一直角坐标系中，随着 $|k|$ 的增大，反比例函数 $y=\frac{k}{x}$ 图象的位置相对于坐标原点是越来越远还是越来越近？

26.2 实际问题与反比例函数

前面我们结合实际问题讨论了反比例函数，看到了反比例函数在分析和解决实际问题中的作用. 下面我们进一步探讨如何利用反比例函数解决实际问题.

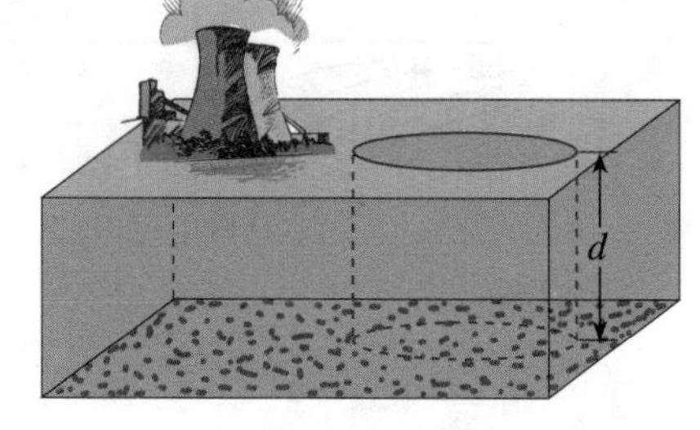

例 1 市煤气公司要在地下修建一个容积为10^4 m^3的圆柱形煤气储存室.

(1) 储存室的底面积 S (单位：m^2) 与其深度 d (单位：m) 有怎样的函数关系?

(2) 公司决定把储存室的底面积 S 定为 500 m^2，施工队施工时应该向地下掘进多深?

(3) 当施工队按 (2) 中的计划掘进到地下 15 m 时，公司临时改变计划，把储存室的深度改为 15 m. 相应地，储存室的底面积应改为多少（结果保留小数点后两位）?

解：(1) 根据圆柱的体积公式，得

$$Sd=10^4,$$

所以 S 关于 d 的函数解析式为

$$S=\frac{10^4}{d}.$$

(2) 把 $S=500$ 代入 $S=\frac{10^4}{d}$，得

$$500=\frac{10^4}{d},$$

解得 $$d=20(\text{m}).$$

如果把储存室的底面积定为 500 m^2，施工时应向地下掘进 20 m 深.

(3) 根据题意，把 $d=15$ 代入 $S=\frac{10^4}{d}$，得

$$S=\frac{10^4}{15},$$

解得 $$S\approx666.67(\text{m}^2).$$

当储存室的深度为 15 m 时，底面积应改为 666.67 m^2.

例 2　码头工人每天往一艘轮船上装载 30 吨货物，装载完毕恰好用了 8 天时间.

(1) 轮船到达目的地后开始卸货，平均卸货速度 v（单位：吨/天）与卸货天数 t 之间有怎样的函数关系？

(2) 由于遇到紧急情况，要求船上的货物不超过 5 天卸载完毕，那么平均每天至少要卸载多少吨？

分析：根据“平均装货速度×装货天数＝货物的总量”，可以求出轮船装载货物的总量；再根据“平均卸货速度＝货物的总量÷卸货天数”，得到 v 关于 t 的函数解析式.

解：(1) 设轮船上的货物总量为 k 吨，根据已知条件得

$$k=30\times 8=240,$$

所以 v 关于 t 的函数解析式为

$$v=\frac{240}{t}.$$

(2) 把 $t=5$ 代入 $v=\frac{240}{t}$，得

$$v=\frac{240}{5}=48(\text{吨/天}).$$

从结果可以看出，如果全部货物恰好用 5 天卸载完，那么平均每天卸载 48 吨. 对于函数 $v=\frac{240}{t}$，当 $t>0$ 时，t 越小，v 越大. 这样若货物不超过 5 天卸载完，则平均每天至少要卸载 48 吨.

公元前 3 世纪，古希腊科学家阿基米德发现：若杠杆上的两物体与支点的距离与其重量成反比，则杠杆平衡. 后来人们把它归纳为“杠杆原理”. 通俗地说，杠杆原理为：

阻力×阻力臂＝动力×动力臂（图 26.2-1）.

给我一个支点，我可以撬动地球！
——阿基米德

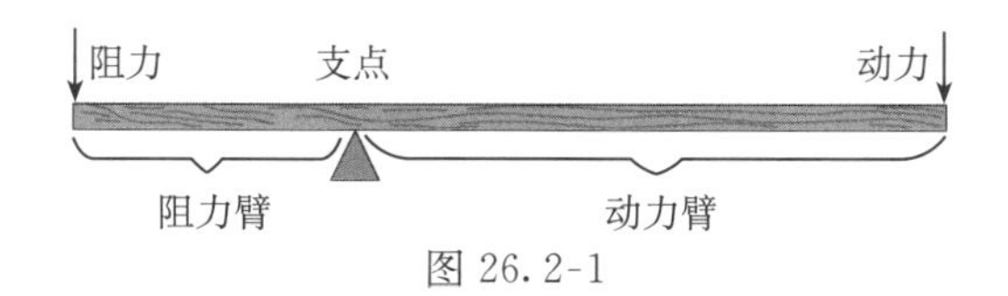

图 26.2-1

例 3 小伟欲用撬棍撬动一块大石头，已知阻力和阻力臂分别为1 200 N和 0.5 m.

(1) 动力 F 与动力臂 l 有怎样的函数关系？当动力臂为 1.5 m 时，撬动石头至少需要多大的力？

(2) 若想使动力 F 不超过题 (1) 中所用力的一半，则动力臂 l 至少要加长多少？

解：(1) 根据“杠杆原理”，得

$$Fl=1\ 200\times 0.5,$$

所以 F 关于 l 的函数解析式为

$$F=\frac{600}{l}.$$

当 $l=1.5$ m 时，

$$F=\frac{600}{1.5}=400(\mathrm{N}).$$

对于函数 $F=\frac{600}{l}$，当 $l=1.5$ m 时，$F=400$ N，此时杠杆平衡. 因此，撬动石头至少需要 400 N 的力.

(2) 对于函数 $F=\frac{600}{l}$，F 随 l 的增大而减小. 因此，只要求出 $F=200$ N 时对应的 l 的值，就能确定动力臂 l 至少应加长的量.

当 $F=400\times\frac{1}{2}=200$ 时，由 $200=\frac{600}{l}$ 得

$$l=\frac{600}{200}=3(\mathrm{m}),$$

$$3-1.5=1.5(\mathrm{m}).$$

对于函数 $F=\frac{600}{l}$，当 $l>0$ 时，l 越大，F 越小. 因此，若想用力不超过 400 N 的一半，则动力臂至少要加长 1.5 m.

用反比例函数的知识解释：在我们使用撬棍时，为什么动力臂越长就越省力？

电学知识告诉我们，用电器的功率 P(单位：W)、两端的电压 U(单位：V)及用电器的电阻 R(单位：Ω) 有如下关系：$PR=U^2$. 这个关系也可写为 $P=$__________，或 $R=$__________.

例 4　一个用电器的电阻是可调节的，其范围为 110～220 Ω. 已知电压为 220 V，这个用电器的电路图如图 26.2-2 所示.

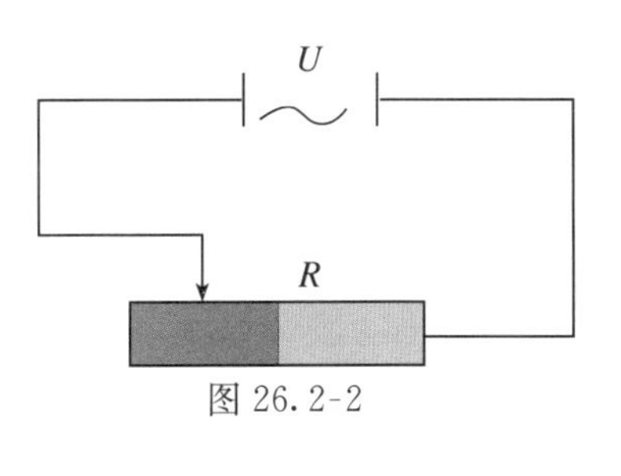

图 26.2-2

（1）功率 P 与电阻 R 有怎样的函数关系？

（2）这个用电器功率的范围是多少？

解：（1）根据电学知识，当 $U=220$ 时，得

$$P=\frac{220^2}{R}. \qquad ①$$

（2）根据反比例函数的性质可知，电阻越大，功率越小.

把电阻的最小值 $R=110$ 代入①式，得到功率的最大值

$$P=\frac{220^2}{110}=440(\mathrm{W});$$

把电阻的最大值 $R=220$ 代入①式，得到功率的最小值

$$P=\frac{220^2}{220}=220(\mathrm{W}).$$

因此用电器功率的范围为 220～440 W.

结合例 4，想一想为什么收音机的音量、某些台灯的亮度以及电风扇的转速可以调节.

练习

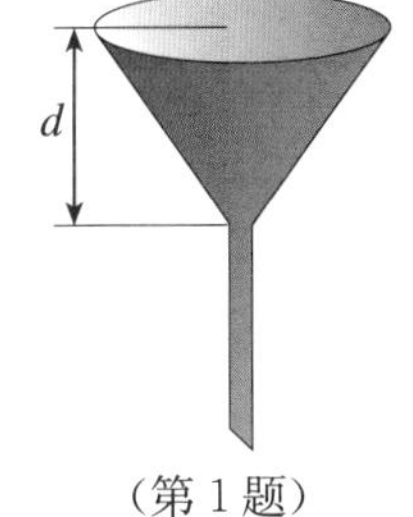

（第 1 题）

1. 如图，某玻璃器皿制造公司要制造一种容积为 1 L（1 L=1 dm³）的圆锥形漏斗.

   （1）漏斗口的面积 S（单位：dm²）与漏斗的深 d（单位：dm）有怎样的函数关系？

   （2）如果漏斗口的面积为100 cm²，那么漏斗的深为多少？

2. 一司机驾驶汽车从甲地去乙地，他以 80 km/h 的平均速度用 6 h 到达目的地.

   （1）当他按原路匀速返回时，汽车的速度 v 与时间 t 有怎样的函数关系？

   （2）如果该司机必须在 4 h之内回到甲地，那么返程时的平均速度不能小于多少？

3. 新建成的住宅楼主体工程已经竣工，只剩下楼体外表面需要贴瓷砖. 已知楼体外表面的面积为 5×10^3 m².

   （1）所需的瓷砖块数 n 与每块瓷砖的面积 S（单位：m²）有怎样的函数关系？

   （2）为了使住宅楼的外观更漂亮，建筑师决定采用灰、白和蓝三种颜色的瓷砖，每块瓷砖的面积都是80 cm²，且灰、白、蓝瓷砖使用数量的比为 2∶2∶1，需要三种瓷砖各多少块？

习题 26.2

复习巩固

1. 请举出一个生活中应用反比例函数的例子.

2. 某农业大学计划修建一块面积为2×10^6 m^2的矩形试验田.

(1) 试验田的长 y（单位：m）关于宽 x（单位：m）的函数解析式是什么？

(2) 如果试验田的长与宽的比为 2∶1，那么试验田的长与宽分别为多少？

3. 小艳家用购电卡购买了1 000 kW·h 电，这些电能够使用的天数 m 与小艳家平均每天的用电度数 n 有怎样的函数关系？如果平均每天用 4 kW·h 电，这些电可以用多长时间？

4. 已知经过闭合电路的电流 I（单位：A）与电路的电阻 R（单位：Ω）是反比例函数关系，请填下表（结果保留小数点后两位）：

I/A	1	2	3	4	5						
R/Ω					20	25	30	50	65	80	90

5. 已知甲、乙两地相距 s（单位：km），汽车从甲地匀速行驶到乙地，则汽车行驶的时间 t（单位：h）关于行驶速度 v（单位：km/h）的函数图象是（　　）.

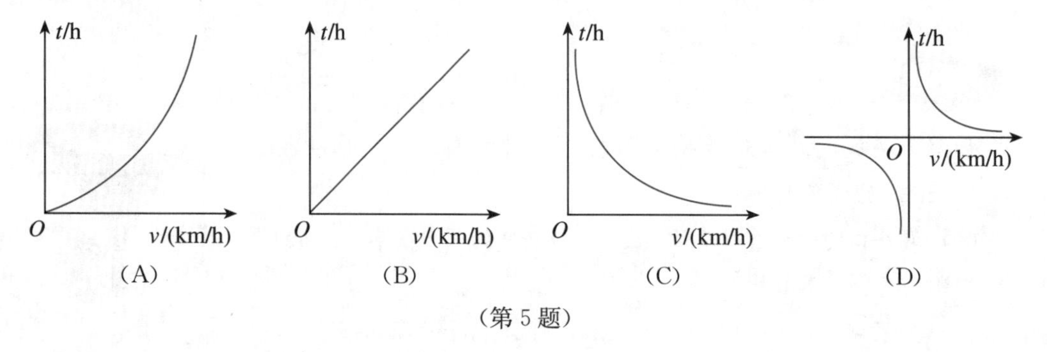

（第 5 题）

综合运用

6. 密闭容器内有一定质量的二氧化碳，当容器的体积 V（单位：m^3）变化时，气体的密度 ρ(单位：kg/m^3）随之变化. 已知密度 ρ 与体积 V 是反比例函数关系，它的图象如图所示.

(1) 求密度 ρ 关于体积 V 的函数解析式；

(2) 当 $V=9$ m^3 时，求二氧化碳的密度 ρ.

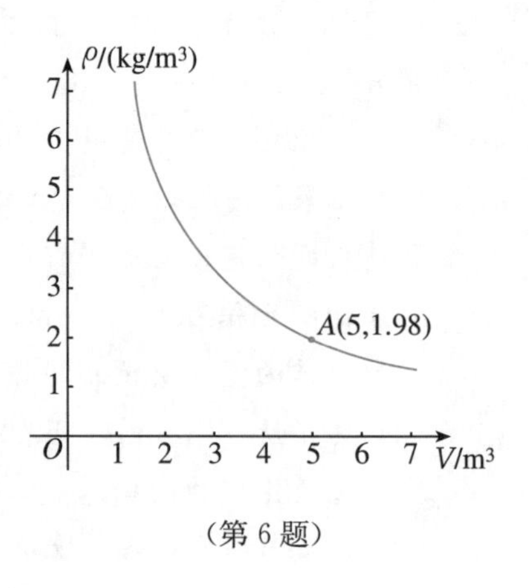

（第 6 题）

7. 红星粮库需要把晾晒场上的 1 200 t 玉米入库封存.

(1) 入库所需的时间 d（单位：天）与入库平

均速度 v（单位：t/天）有怎样的函数关系？

（2）已知粮库有职工 60 名，每天最多可入库 300 t 玉米，预计玉米入库最快可在几天内完成？

（3）粮库职工连续工作两天后，天气预报说未来几天会下雨，粮库决定次日把剩下的玉米全部入库，至少需要增加多少职工？

拓广探索

8. 已知蓄电池的电压为定值，使用蓄电池时，电流 I（单位：A）与电阻 R（单位：Ω）是反比例函数关系，它的图象如图所示.

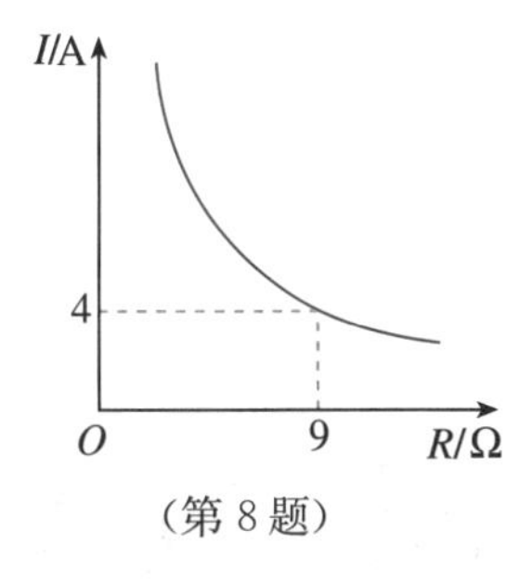

（第 8 题）

（1）请写出这个反比例函数的解析式.

（2）蓄电池的电压是多少？

（3）完成下表：

R/Ω	3	4	5	6	7	8	9	10
I/A								

（4）如果以此蓄电池为电源的用电器的限制电流不能超过 10 A，那么用电器可变电阻应控制在什么范围？

9. 某汽车油箱的容积为 70 L，小王把油箱加满油后驾驶汽车从县城到 300 km 外的省城接客人，接到客人后立即按原路返回. 请回答下列问题：

（1）油箱加满油后，汽车行驶的总路程 s（单位：km）与平均耗油量 b（单位：L/km）有怎样的函数关系？

（2）小王以平均每千米耗油 0.1 L 的速度驾驶汽车到达省城，返程时由于下雨，小王降低了车速，此时平均每千米的耗油量增加了一倍. 如果小王始终以此速度行驶，不需加油能否回到县城？如果不能，至少还需加多少油？

阅读与思考

生活中的反比例关系

如果细心观察一下，你会发现，日常生活中的两个量之间，许多具有反比例关系.

你一定熟悉这种现象：生活中常用的刀具，使用一段时间后就会变钝，用起来很费劲. 如果把刀刃磨薄，刀具就会锋利起来. 你知道这是为什么吗？

解释这种现象需要考虑压强与受力面积之间的关系. 压强不仅与压力的大小有关，还与受力面积的大小有关. 压强就是单位面积上受到的压力，压强的计算公式为

$$p=\frac{F}{S},$$

其中 p 是压强，F 是压力，S 是受力面积. 从上式可以看出，当压力一定时，压强与受力面积成反比例关系. 使用刀具时，刀刃磨得越薄，即刀刃与物体的接触面积 S 越小，压强 p 就会越大，我们就会感觉刀具越锋利.

根据压强与受力面积的反比例关系，你能解释为什么重型坦克、推土机要在轮子上安装又宽又长的履带，大型载重卡车装有许多车轮吗?

充满气体的气球能够用脚踩爆，这是为什么呢? 原来这里涉及气体压强与体积之间的关系. 当一个容器装有一定质量的气体时，运动的气体分子碰撞容器壁会对容器产生压强. 在温度恒定的情况下，气体的压强 p 与气体体积 V 成反比例关系，气体的压强会随气体体积的减小（增大）而增大（减小）. 当气球充满气体时，如果用脚踩气球，就会使气球的体积变小，从而使气体的压强增大，导致气球爆裂.

利用气体压强与体积之间的这种反比例关系，你能解释为什么超载的车辆容易爆胎吗?

同学们一定有这样的感受：一辆汽车在空载的情况下行驶得很快，但是满载时速度明显减小了，这是为什么呢?

这里涉及汽车的行驶速度与汽车所受阻力之间的反比例关系. 设汽车的功率为 P，行驶速度为 v，所受阻力为 F，三者之间满足关系

$$v=\frac{P}{F}.$$

从上面的式子可以看出，当汽车的功率 P 一定时，汽车的负载越大，阻力 F 就越大，行驶速度 v 就会越小.

你还能举出生活中可以用反比例关系解释的例子吗?

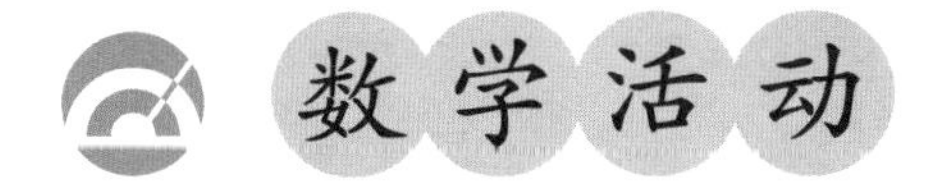

活动1

下表是 10 个面积相等的矩形的长与宽，请补齐表格.

长/cm	1	2	3	4	5					
宽/cm					2	$\frac{5}{3}$	$\frac{10}{7}$	$\frac{5}{4}$	$\frac{10}{9}$	1

设$\angle A$为这 10 个矩形的公共角，画出这 10 个矩形，然后取$\angle A$的 10 个对角的顶点，并把这 10 个点用平滑的曲线顺次连接起来.

这条曲线是反比例函数图象的一支吗？为什么？

活动2

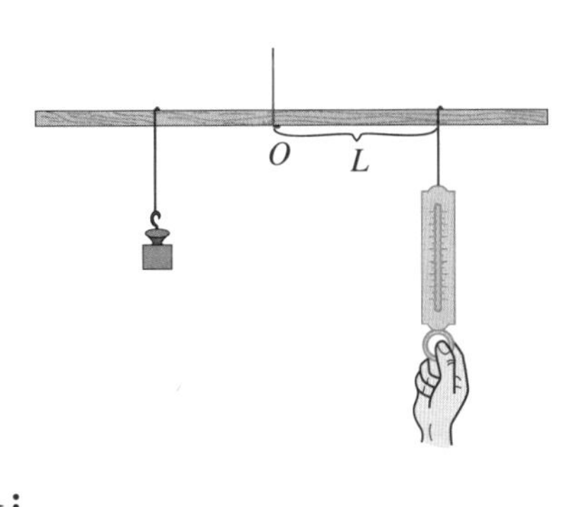

如右图，取一根长100 cm的匀质木杆，用细绳绑在木杆的中点O并将其吊起来. 在中点O的左侧距离中点O 25 cm处挂一个重 9.8 N的物体，在中点O右侧用一个弹簧秤向下拉，使木杆处于水平状态. 改变弹簧秤与中点O的距离L（单位：cm），看弹簧秤的示数F（单位：N）有什么变化，并填写下表：

L/cm	5	10	15	20	25	30	35	40	45
F/N									

以L的数值为横坐标，F的数值为纵坐标建立直角坐标系. 在坐标系中描出以上表中的数对为坐标的各点，并用平滑的曲线顺次连接这些点.

这条曲线是反比例函数图象的一支吗？为什么？点(50，4.9)在这条曲线上吗？

小　结

一、本章知识结构图

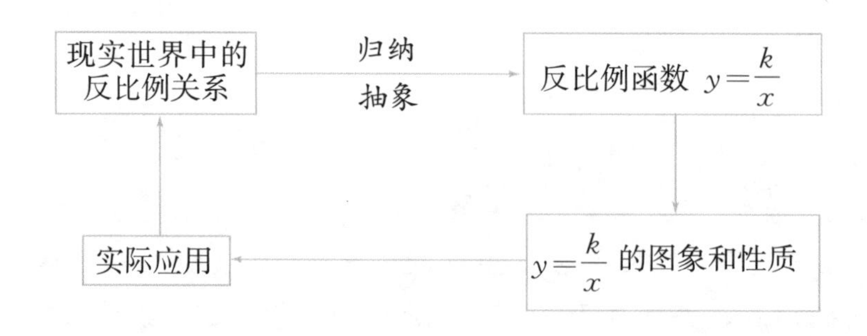

二、回顾与思考

本章我们从现实世界中具有反比例关系的实例出发，从函数角度刻画了反比例关系，认识了反比例函数 $y=\frac{k}{x}$. 像研究一次函数、二次函数一样，我们先用描点法画出反比例函数的图象，观察图象得出反比例函数的性质；最后运用反比例函数解决实际问题.

本章我们又一次经历了用函数研究变化规律的过程，用反比例函数刻画具有反比例关系的两个变量之间的对应关系：在变量 y 随变量 x 的变化而变化的过程中，它们的积 xy 始终保持不变（$xy=k$，$k\neq0$). 这也是判断一个问题能否用反比例函数来刻画的依据.

请你带着下面的问题，复习一下全章的内容吧.

1. 举例说明什么是反比例函数.

2. 反比例函数 $y=\frac{k}{x}$ 的图象是什么样的？反比例函数有什么性质？

3. 我们知道，函数是描述现实世界中变化规律的数学模型. 反比例函数描述的变化规律是怎样的？

4. 与正比例函数、一次函数、二次函数的图象相比，反比例函数的图象特殊在哪里？

5. 你能举出现实生活中几个运用反比例函数性质的实例吗？

6. 结合本章内容，请你谈一谈运用数形结合解决问题的体会.

复习题 26

复习巩固

1. 用解析式表示下列函数：

(1) 三角形的面积是 12 cm^2，它的一边 a（单位：cm）是这边上的高 h（单位：cm）的函数；

(2) 圆锥的体积是 50 cm^3，它的高 h（单位：cm）是底面面积 S（单位：cm^2）的函数.

2. 填空：

对于函数 $y=\frac{3}{x}$，当 $x>0$ 时，y ____ 0，这时函数图象位于第____象限；对于函数$y=-\frac{3}{x}$，当 $x<0$ 时，y ____ 0，这时函数图象位于第____象限.

3. 填空：

(1) 函数 $y=\frac{10}{x}$的图象位于第____象限，在每一个象限内，y 随 x 的增大而____；

(2) 函数 $y=-\frac{10}{x}$的图象位于第____象限，在每一个象限内，y 随 x 的增大而____.

4. 下面四个关系式中，y 是 x 的反比例函数的是（　　）.

(A) $y=\frac{1}{x^2}$　　(B) $yx=-\sqrt{3}$　　(C) $y=5x+6$　　(D) $\sqrt{x}=\frac{1}{y}$

综合运用

5. 在反比例函数 $y=\frac{k-1}{x}$的图象的每一支上，y 都随 x 的增大而减小，求 k 的取值范围.

6. 如图，一块砖的 A，B，C 三个面的面积比是 4∶2∶1. 如果 B 面向下放在地上，地面所受压强为 a Pa，那么 A 面和 C 面分别向下放在地上时，地面所受压强各是多少？

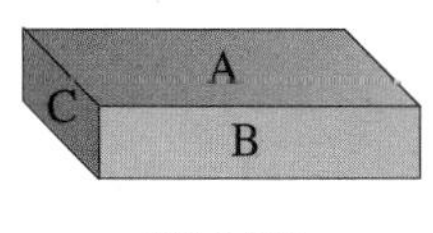

（第 6 题）

7. 已知某品牌显示器的寿命大约为 2×10^4 h.

(1) 这种显示器可工作的天数 d 与平均每日工作的小时数 t 之间具有怎样的函数关系？

(2) 如果平均每天工作 10 h，那么这种显示器大约可使用多长时间？

8. 把下列函数的解析式与其图象对应起来：

(1) $y=\frac{2}{x}$；(2) $y=\frac{2}{|x|}$；(3) $y=-\frac{2}{x}$；(4) $y=-\frac{2}{|x|}$.

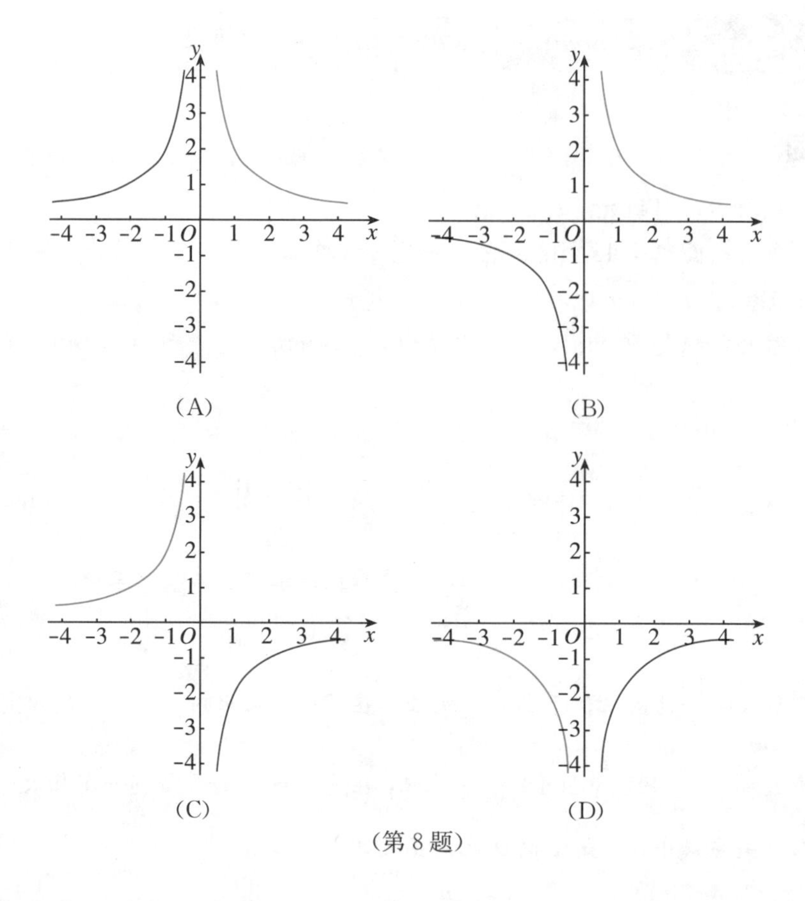

（第 8 题）

拓广探索

9. 两个不同的反比例函数的图象能否相交？为什么？

10. 在同一直角坐标系中，若正比例函数 $y=k_1x$ 的图象与反比例函数 $y=\frac{k_2}{x}$ 的图象没有交点，试确定 k_1k_2 的取值范围.

11. 市政府计划建设一项水利工程，工程需要运送的土石方总量为 10^6 m^3，某运输公司承担了运送土石方的任务.

    （1）运输公司平均运送速度 v（单位：m^3/天）与完成运送任务所需时间 t（单位：天）之间具有怎样的函数关系？

    （2）这个运输公司共有 100 辆卡车，每天可运送土石方 10^4 m^3，公司完成全部运输任务需要多长时间？

    （3）当公司以问题（2）中的速度工作了 40 天后，由于工程进度的需要，剩下的所有运输任务必须在 50 天内完成，公司至少应增加多少辆卡车？

第二十七章　相似

在现实生活中，我们经常见到形状相同的图形. 如国旗上大小不同的五角星、不同尺寸同底版的相片等. 下图中两张大小不同的万里长城图片，它们的各部分都是按一定比例对应的.

在“全等三角形”一章中，我们研究了形状和大小完全相同的两个三角形的性质和判定方法. 类似地，两个形状相同、大小不同的三角形，它们的边和角有什么关系？对应线段（如高、中线和角平分线等）和面积有什么关系？如何判断两个三角形的形状是否相同？如何按要求放大或缩小一个图形呢？

要回答上面的问题，就进入这一章的学习吧！在实验、探索和论证之后，你就能得到问题的答案.

27.1 图形的相似

图 27.1-1 中有汽车和它的模型，也有大小不同的足球，还有同一张底版洗出的不同尺寸的照片，以及排版印刷时使用不同字号排出的相同文字. 所有这些，都给我们以形状相同的形象. 我们把形状相同的图形叫做**相似图形** (similar figures).

你能再举出一些相似图形的例子吗?

相似图形

相似图形

相似图形

相似图形

图 27.1-1

两个图形相似，其中一个图形可以看作由另一个图形放大或缩小得到. 例如，放映电影时，投在屏幕上的画面就是胶片上图形的放大；用复印机把一个图形放大或缩小后所得的图形，都与原来的图形相似. 图 27.1-2 中有 4 对图形，每对图形中的两个图形相似. 其中较大（小）的图形可以看成是由较小（大）的图形放大（缩小）得到的.

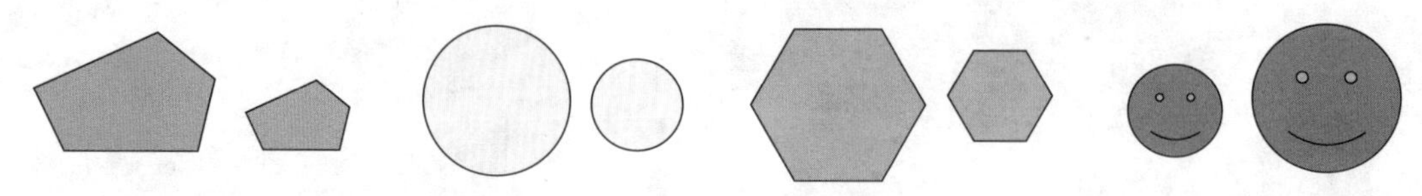

图 27.1-2

思考

图 27.1-3 是一个女孩儿从平面镜和哈哈镜里看到的自己的形象，这些镜中的形象相似吗？

图 27.1-3

练习

1. 如图，从放大镜里看到的三角尺和原来的三角尺相似吗？

（第 1 题）

2. 如图，图形（a）～（f）中，哪些与图形（1）或（2）相似？

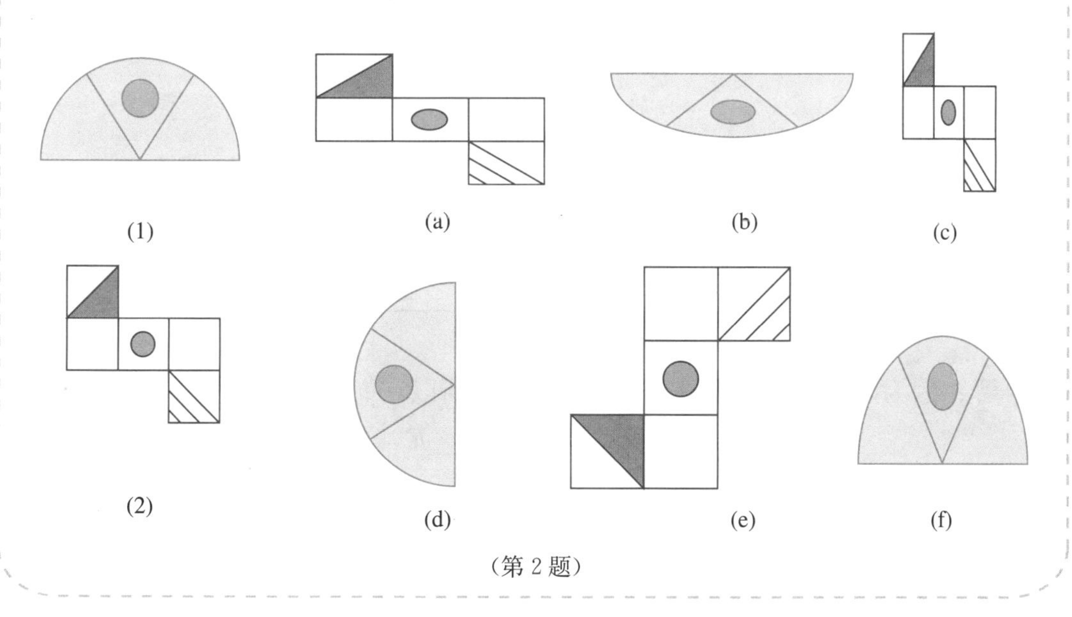

（第 2 题）

下面我们研究特殊的相似图形——相似多边形. 两个边数相同的多边形，如果它们的角分别相等，边成比例，那么这两个多边形叫做**相似多边形**（similar polygons）. 相似多边形对应边的比叫做**相似比**（similarity ratio）.

> 对于四条线段 a，b，c，d，如果其中两条线段的比（即它们长度的比）与另两条线段的比相等，如 $\frac{a}{b}=\frac{c}{d}$（即 $ad=bc$），我们就说这四条线段成比例.

例如，图 27.1-4 中的两个大小不同的四边形 $ABCD$ 和四边形 $A_1B_1C_1D_1$ 中，

$\angle A=\angle A_1$，$\angle B=\angle B_1$，$\angle C=\angle C_1$，$\angle D=\angle D_1$，

$$\frac{AB}{A_1B_1}=\frac{BC}{B_1C_1}=\frac{CD}{C_1D_1}=\frac{DA}{D_1A_1},$$

因此四边形 $ABCD$ 与四边形 $A_1B_1C_1D_1$ 相似.

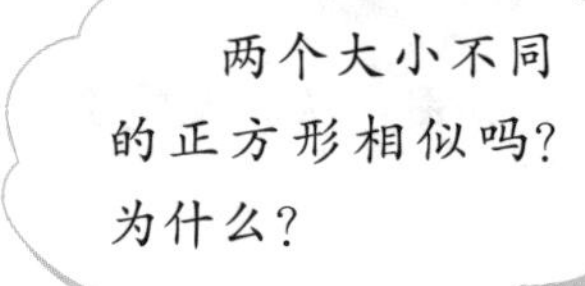

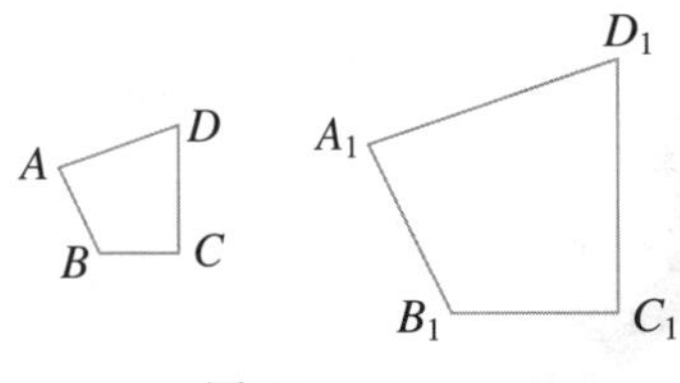

图 27.1-4

由相似多边形的定义可知，相似多边形的对应角相等，对应边成比例.

例 如图 27.1-5，四边形 $ABCD$ 和 $EFGH$ 相似，求角 α，β 的大小和 EH 的长度 x.

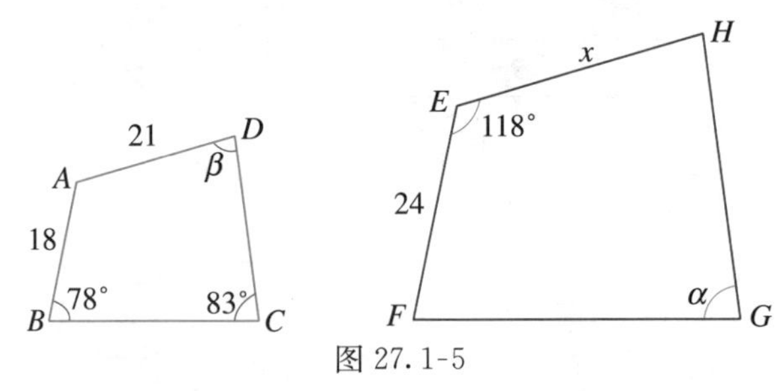

图 27.1-5

解：因为四边形 $ABCD$ 和 $EFGH$ 相似，所以它们的对应角相等，由此可得

$$\alpha=\angle C=83°，\angle A=\angle E=118°.$$

在四边形 $ABCD$ 中，

$$\beta=360°-(78°+83°+118°)=81°.$$

因为四边形 $ABCD$ 和 $EFGH$ 相似，所以它们的对应边成比例，由此可得

$$\frac{EH}{AD}=\frac{EF}{AB}，即\frac{x}{21}=\frac{24}{18}.$$

解得 $$x=28.$$

练习

1. 在比例尺为 1∶10 000 000 的地图上，量得甲、乙两地的距离是30 cm，求两地的实际距离.

2. 如图所示的两个三角形相似吗？为什么？

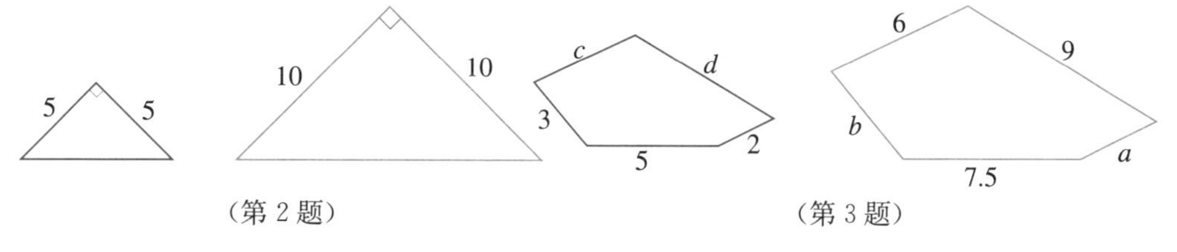

（第 2 题）　　（第 3 题）

3. 如图所示的两个五边形相似，求 a，b，c，d 的值.

习题 27.1

复习巩固

1. 两地的实际距离是 2 000 m，在地图上量得这两地的距离为 2 cm，这幅地图的比例尺是多少？

2. 任意两个矩形相似吗？为什么？

3. 如图，$\triangle ABC$ 与 $\triangle DEF$ 相似，求 x，y 的值.

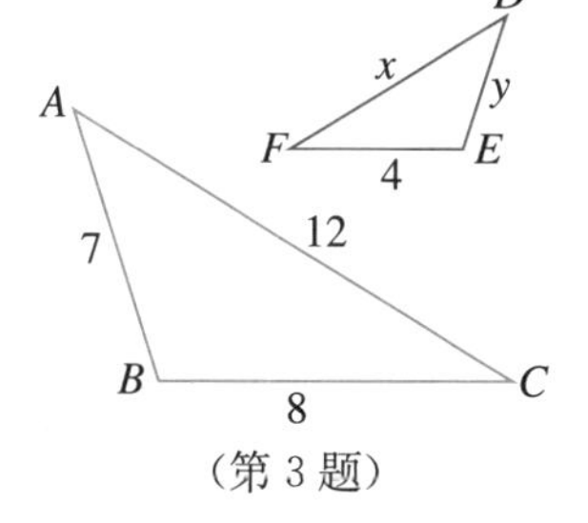

（第 3 题）

综合运用

4. 如图，试着在方格纸中画出与原图形相似的图形.你用的是什么方法？与同学交流一下.

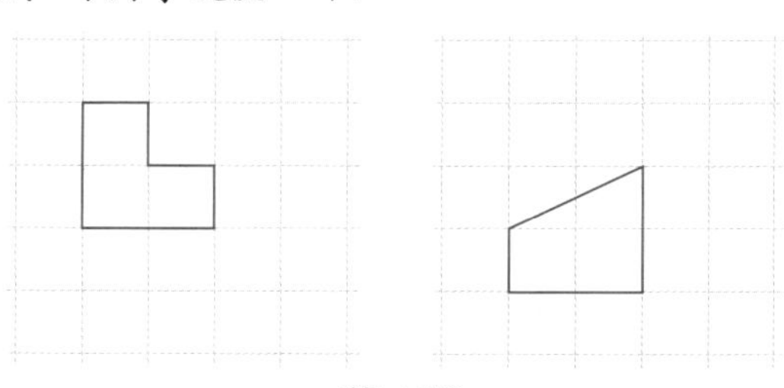

（第 4 题）

5. 如图，$DE // BC$.（1）求$\frac{AD}{AB}$，$\frac{AE}{AC}$，$\frac{DE}{BC}$的值；（2）证明$\triangle ADE$与$\triangle ABC$相似.

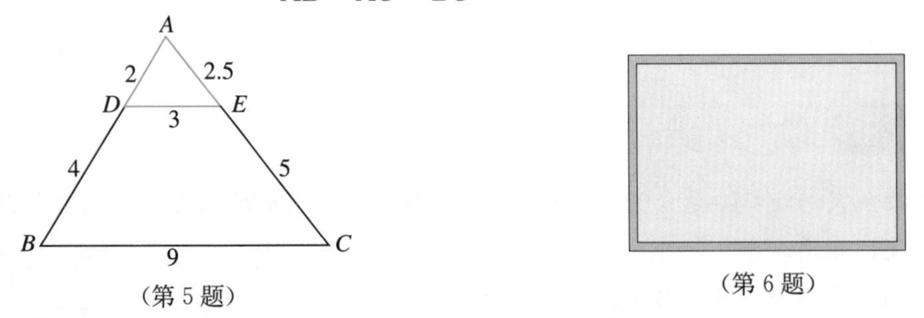

（第5题）　　（第6题）

6. 如图，矩形草坪长30 m、宽20 m. 沿草坪四周有1 m宽的环行小路，小路内外边缘形成的两个矩形相似吗？说出你的理由.

7. 如果两个多边形仅有角分别相等，它们相似吗？如果仅有边成比例呢？若不一定相似，请举出反例.

拓广探索

8. 如图，将一张矩形纸片沿较长边的中点对折，如果得到的两个矩形都和原来的矩形相似，那么原来矩形的长宽比是多少？将这张纸如此再对折下去，得到的矩形都相似吗？

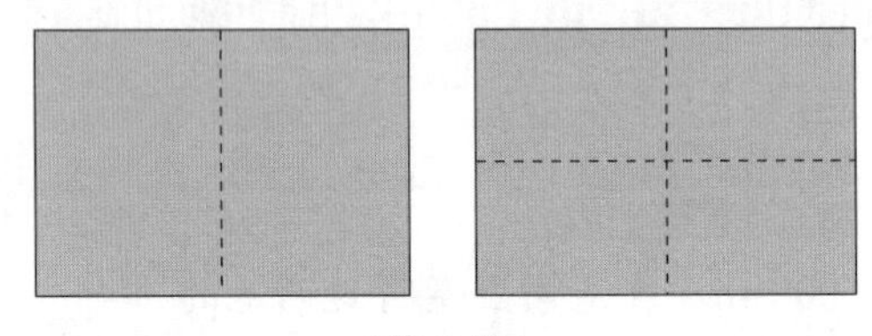
（第8题）

27.2 相似三角形

27.2.1 相似三角形的判定

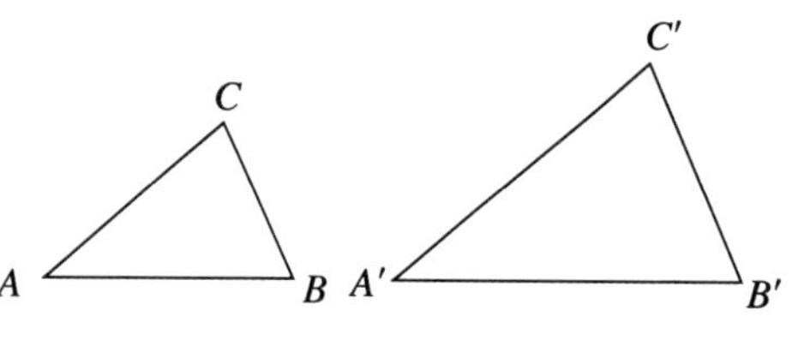

图 27.2-1

在相似多边形中，最简单的就是相似三角形（similar triangles）. 如图 27.2-1，在 $\triangle ABC$ 和 $\triangle A'B'C'$ 中，如果

$\angle A=\angle A'$，$\angle B=\angle B'$，$\angle C=\angle C'$，

$$\frac{AB}{A'B'}=\frac{BC}{B'C'}=\frac{AC}{A'C'}=k,$$

即三个角分别相等，三条边成比例，我们就说 $\triangle ABC$ 与 $\triangle A'B'C'$ 相似，相似比为 k. 相似用符号“∽”表示，读作“相似于”. $\triangle ABC$ 与 $\triangle A'B'C'$ 相似记作“$\triangle ABC \backsim \triangle A'B'C'$”.

如果 $k=1$，这两个三角形有怎样的关系？

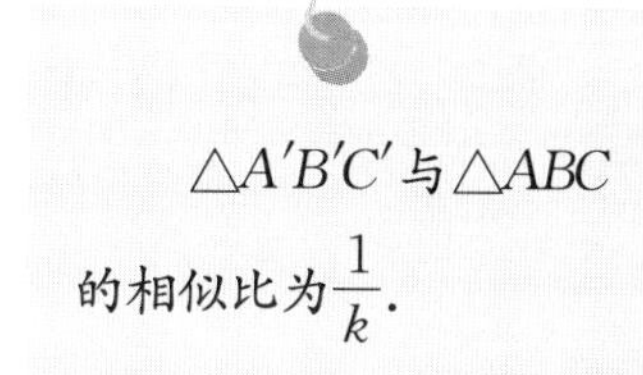

判定两个三角形全等时，除了可以验证它们所有的角和边分别相等外，还可以使用简便的判定方法（SSS，SAS，ASA，AAS）. 类似地，判定两个三角形相似时，是不是也存在简便的判定方法呢？我们先来探究下面的问题.

探究

如图 27.2-2，任意画两条直线 l_1，l_2，再画三条与 l_1，l_2 都相交的平行线 l_3，l_4，l_5. 分别度量 l_3，l_4，l_5 在 l_1 上截得的两条线段 AB，BC 和在 l_2 上截得的两条线段 DE，EF 的长度，$\frac{AB}{BC}$ 与 $\frac{DE}{EF}$ 相等吗？任意平移 l_5，$\frac{AB}{BC}$ 与 $\frac{DE}{EF}$ 还相等吗？

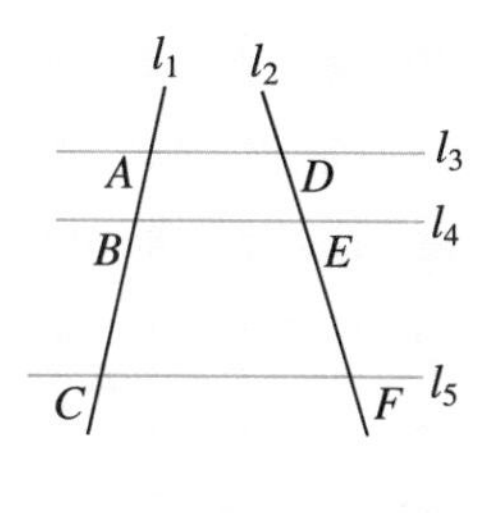

图 27.2-2

可以发现，当 $l_3 \parallel l_4 \parallel l_5$ 时，有 $\frac{AB}{BC}=\frac{DE}{EF}$，$\frac{BC}{AB}=\frac{EF}{DE}$，$\frac{AB}{AC}=\frac{DE}{DF}$，$\frac{BC}{AC}=\frac{EF}{DF}$等.

一般地，我们有平行线分线段成比例的基本事实：

两条直线被一组平行线所截，所得的对应线段成比例.

把平行线分线段成比例的基本事实应用到三角形中，会出现下面两种情况（图 27.2-3）.

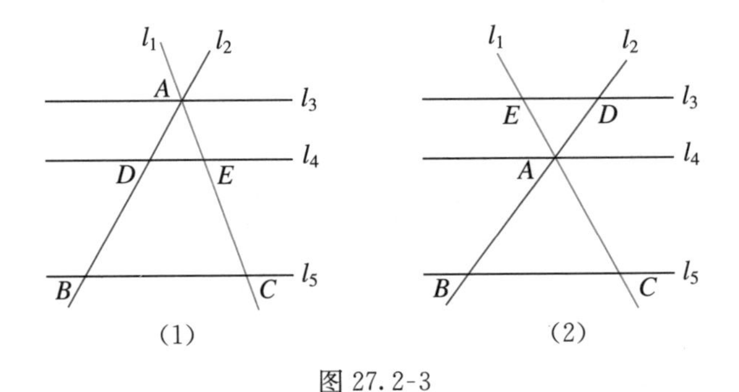

图 27.2-3

在图 27.2-3（1）中，把 l_4 看成平行于△ABC 的边 BC 的直线；在图 27.2-3（2）中，把 l_3 看成平行于△ABC 的边 BC 的直线，那么我们可以得到结论：

平行于三角形一边的直线截其他两边（或两边的延长线），所得的对应线段成比例.

思考

如图 27.2-4，在△ABC 中，$DE \parallel BC$，且 DE 分别交 AB，AC 于点 D，E，△ADE 与△ABC 有什么关系？

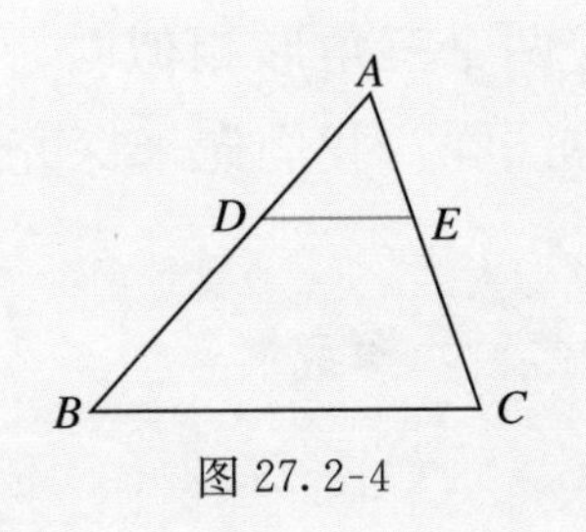

图 27.2-4

直觉告诉我们，△ADE 与△ABC 相似，我们通过相似的定义证明它，即证明∠A=∠A，∠ADE=∠B，∠AED=∠C，$\frac{AD}{AB}=\frac{AE}{AC}=\frac{DE}{BC}$. 由前面的结论可得，$\frac{AD}{AB}=\frac{AE}{AC}$. 而$\frac{DE}{BC}$中的 DE 不在△ABC 的边 BC 上，不能直接利用前面的结论. 但从要证的$\frac{AE}{AC}=\frac{DE}{BC}$可以看出，除 DE 外，AE，AC，BC 都在△ABC 的边上，因此

只需将 DE 平移到 BC 边上去，使得 $BF=DE$，再证明$\frac{AE}{AC}=\frac{BF}{BC}$就可以了（图 27.2-5）. 只要过点 E 作 $EF /\!/ AB$，交 BC 于点 F，BF 就是平移 DE 所得的线段.

先证明两个三角形的角分别相等.

如图 27.2-5，在 $\triangle ADE$ 与 $\triangle ABC$ 中，$\angle A=\angle A$.

$\because$ $DE /\!/ BC$，

$\therefore$ $\angle ADE=\angle B$，$\angle AED=\angle C$.

再证明两个三角形的边成比例.

过点 E 作 $EF /\!/ AB$，交 BC 于点 F.

$\because$ $DE /\!/ BC$，$EF /\!/ AB$，

$\therefore$ $\frac{AD}{AB}=\frac{AE}{AC}$，$\frac{BF}{BC}=\frac{AE}{AC}$.

$\because$ 四边形 $DBFE$ 是平行四边形，

$\therefore$ $DE=BF$.

$\therefore$ $\frac{DE}{BC}=\frac{AE}{AC}$.

$\therefore$ $\frac{AD}{AB}=\frac{AE}{AC}=\frac{DE}{BC}$.

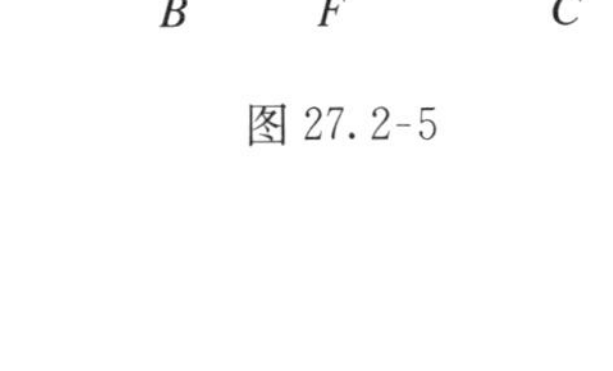

图 27.2-5

这样，我们证明了 $\triangle ADE$ 和 $\triangle ABC$ 的角分别相等，边成比例，所以 $\triangle ADE \backsim \triangle ABC$. 因此，我们有如下判定三角形相似的定理：

平行于三角形一边的直线和其他两边相交，所构成的三角形与原三角形相似.

练习

1. 如图，$AB /\!/ CD /\!/ EF$，AF 与 BE 相交于点 G，且 $AG=2$，$GD=1$，$DF=5$，求$\frac{BC}{CE}$的值.

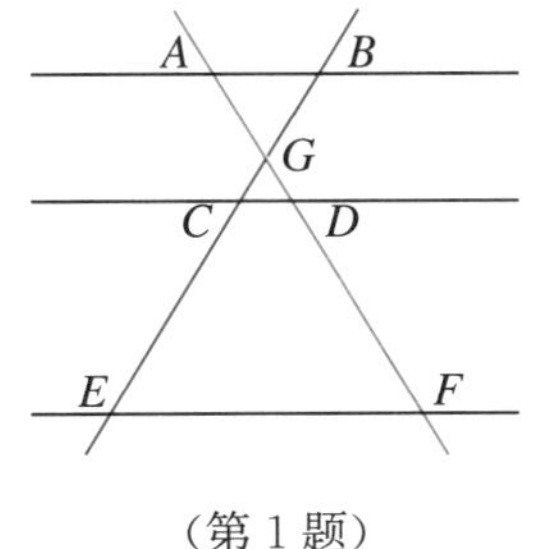

（第 1 题）

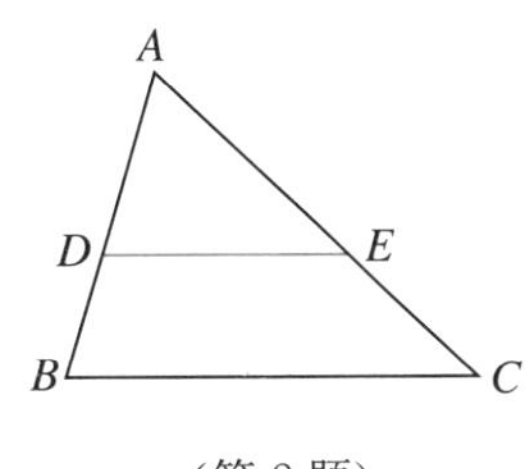

（第 2 题）

2. 如图，在 $\triangle ABC$ 中，$DE /\!/ BC$，且 $AD=3$，$DB=2$. 写出图中的相似三角形，并指出其相似比.

类似于判定三角形全等的 SSS 方法，我们能不能通过三边来判定两个三角形相似呢？

探究

任意画一个三角形，再画一个三角形，使它的各边长都是原来三角形各边长的 k 倍．度量这两个三角形的角，它们分别相等吗？这两个三角形相似吗？与同学交流一下，看看是否有同样的结论．

可以发现，这两个三角形相似．我们可以利用上面的定理进行证明．

如图 27.2-6，在 $\triangle ABC$ 和 $\triangle A'B'C'$ 中，$\dfrac{AB}{A'B'}=\dfrac{BC}{B'C'}=\dfrac{AC}{A'C'}$，求证 $\triangle ABC \backsim \triangle A'B'C'$．

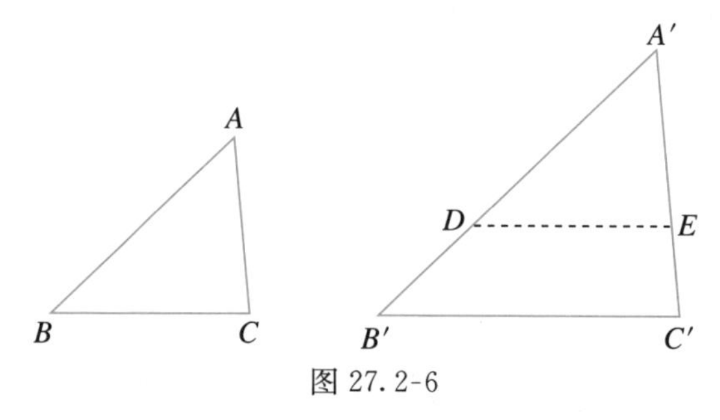

图 27.2-6

*证明：在线段 $A'B'$（或它的延长线）上截取 $A'D=AB$，过点 D 作 $DE /\!/ B'C'$，交 $A'C'$ 于点 E．根据前面的定理，可得 $\triangle A'DE \backsim \triangle A'B'C'$．

∴ $\dfrac{A'D}{A'B'}=\dfrac{DE}{B'C'}=\dfrac{A'E}{A'C'}$.

又 $\dfrac{AB}{A'B'}=\dfrac{BC}{B'C'}=\dfrac{AC}{A'C'}$，$A'D=AB$，

∴ $\dfrac{DE}{B'C'}=\dfrac{BC}{B'C'}$，$\dfrac{A'E}{A'C'}=\dfrac{AC}{A'C'}$.

∴ $DE=BC$，$A'E=AC$.

∴ $\triangle A'DE \cong \triangle ABC$.

∴ $\triangle ABC \backsim \triangle A'B'C'$.

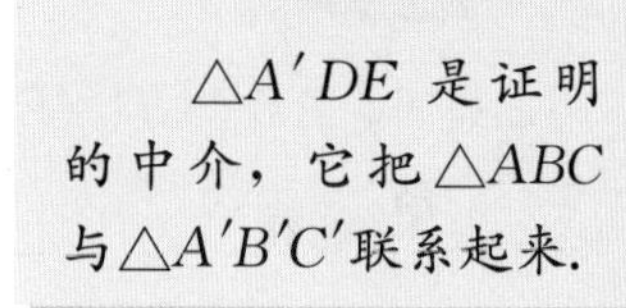

$\triangle A'DE$ 是证明的中介，它把 $\triangle ABC$ 与 $\triangle A'B'C'$ 联系起来．

* 相似三角形判定定理的证明都是选学内容．

由此我们得到利用三边判定三角形相似的定理（图 27.2-7）：

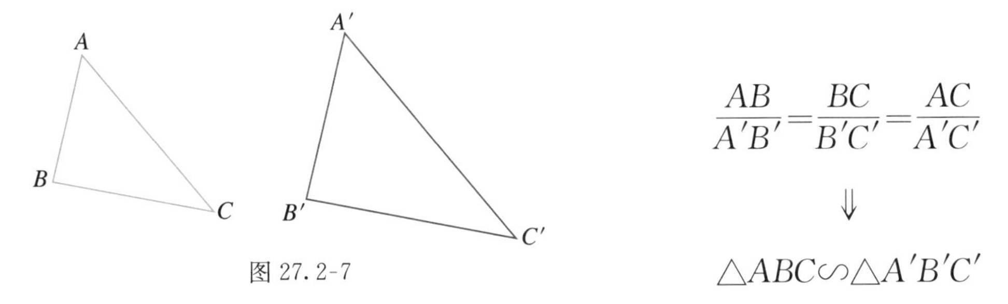

图 27.2-7

三边成比例的两个三角形相似.

类似于判定三角形全等的SAS方法，能不能通过两边和夹角来判定两个三角形相似呢？事实上，我们有利用两边和夹角判定两个三角形相似的定理（图 27.2-8）：

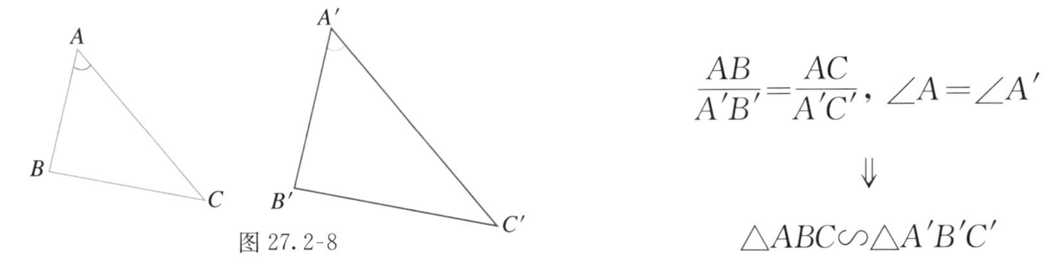

图 27.2-8

两边成比例且夹角相等的两个三角形相似.

怎样证明这个定理呢？它的证明思路与证明前面定理的思路类似. 先用同样的方法作一个与$\triangle A'B'C'$相似的三角形，再用相似三角形对应边成比例和已知条件证明所作三角形与$\triangle ABC$ 全等.

思考

对于$\triangle ABC$ 和$\triangle A'B'C'$，如果$\frac{AB}{A'B'}=\frac{AC}{A'C'}$，$\angle B=\angle B'$，这两个三角形一定相似吗？试着画画看.

例 1　根据下列条件，判断$\triangle ABC$ 与$\triangle A'B'C'$是否相似，并说明理由：

(1) $AB=4$ cm，$BC=6$ cm，$AC=8$ cm，
$A'B'=12$ cm，$B'C'=18$ cm，$A'C'=24$ cm；

(2) $\angle A=120°$，$AB=7$ cm，$AC=14$ cm，

$\angle A'=120°$，$A'B'=3\ \text{cm}$，$A'C'=6\ \text{cm}$.

解：(1) $\because$ $\dfrac{AB}{A'B'}=\dfrac{4}{12}=\dfrac{1}{3}$，

$\dfrac{BC}{B'C'}=\dfrac{6}{18}=\dfrac{1}{3}$，

$\dfrac{AC}{A'C'}=\dfrac{8}{24}=\dfrac{1}{3}$，

$\therefore$ $\dfrac{AB}{A'B'}=\dfrac{BC}{B'C'}=\dfrac{AC}{A'C'}$.

$\therefore$ $\triangle ABC\backsim\triangle A'B'C'$.

(2) $\because$ $\dfrac{AB}{A'B'}=\dfrac{7}{3}$，$\dfrac{AC}{A'C'}=\dfrac{14}{6}=\dfrac{7}{3}$，

$\therefore$ $\dfrac{AB}{A'B'}=\dfrac{AC}{A'C'}$.

又 $\angle A=\angle A'$，

$\therefore$ $\triangle ABC\backsim\triangle A'B'C'$.

这两个三角形的相似比是多少？

练习

1. 根据下列条件，判断$\triangle ABC$与$\triangle A'B'C'$是否相似，并说明理由：

   (1) $\angle A=40°$，$AB=8\ \text{cm}$，$AC=15\ \text{cm}$，
   $\angle A'=40°$，$A'B'=16\ \text{cm}$，$A'C'=30\ \text{cm}$；

   (2) $AB=10\ \text{cm}$，$BC=8\ \text{cm}$，$AC=16\ \text{cm}$，
   $A'B'=16\ \text{cm}$，$B'C'=12.8\ \text{cm}$，$A'C'=25.6\ \text{cm}$.

2. 图中的两个三角形是否相似？为什么？

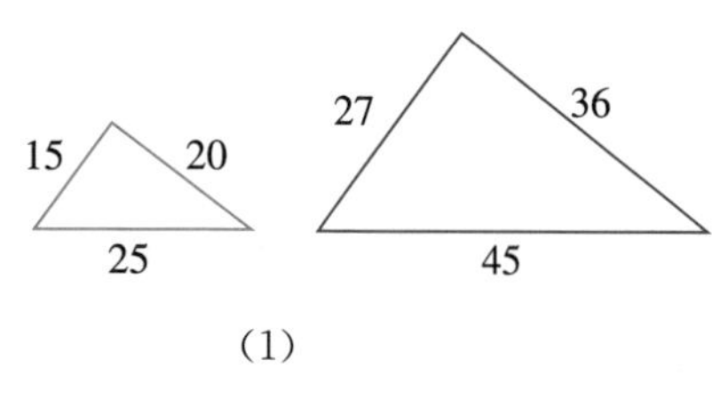

(1)

(2)

(第 2 题)

3. 要制作两个形状相同的三角形框架，其中一个三角形框架的三边长分别为 4 cm，5 cm 和 6 cm，另一个三角形框架的一边长为 2 cm，它的另外两条边长应当是多少？你有几种制作方案？

观察两副三角尺（图 27.2-9），其中有同样两个锐角（30°与 60°，或 45°与 45°）的两个三角尺大小可能不同，但它们看起来是相似的.

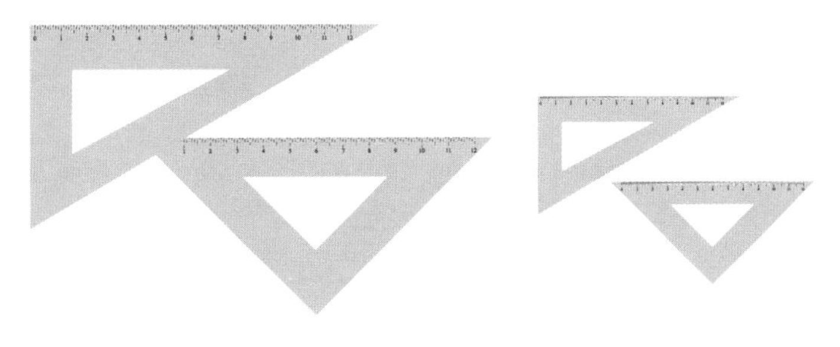

图 27.2-9

一般地，我们有利用两组角判定两个三角形相似的定理（图 27.2-10）：

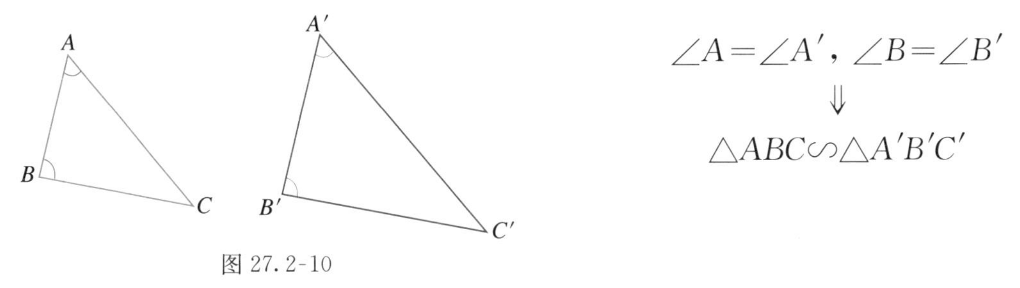

图 27.2-10

两角分别相等的两个三角形相似.

这个定理的证明方法与前面两个定理的证明方法类似. 试一试，如何完成证明.

例 2　如图 27.2-11，Rt$\triangle ABC$ 中，$\angle C=90°$，$AB=10$，$AC=8$. E 是 AC 上一点，$AE=5$，$ED\perp AB$，垂足为 D. 求 AD 的长.

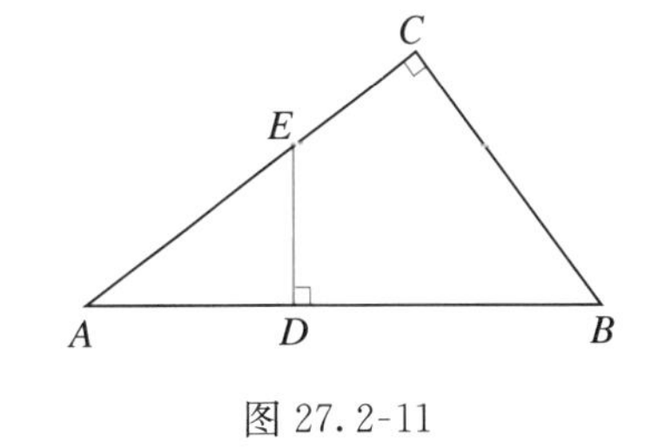

图 27.2-11

解：∵　$ED\perp AB$，

∴　$\angle EDA=90°$.

又　$\angle C=90°$，$\angle A=\angle A$，

∴　$\triangle AED\backsim\triangle ABC$.

∴　$\dfrac{AD}{AC}=\dfrac{AE}{AB}$.

∴　$AD=\dfrac{AC\cdot AE}{AB}=\dfrac{8\times 5}{10}=4$.

由三角形相似的条件可知，如果两个直角三角形满足一个锐角相等，或两组直角边成比例，那么这两个直角三角形相似.

思考

我们知道，两个直角三角形全等可以用“HL”来判定. 那么，满足斜边和一条直角边成比例的两个直角三角形相似吗？

事实上，这两个直角三角形相似. 下面我们给出证明.

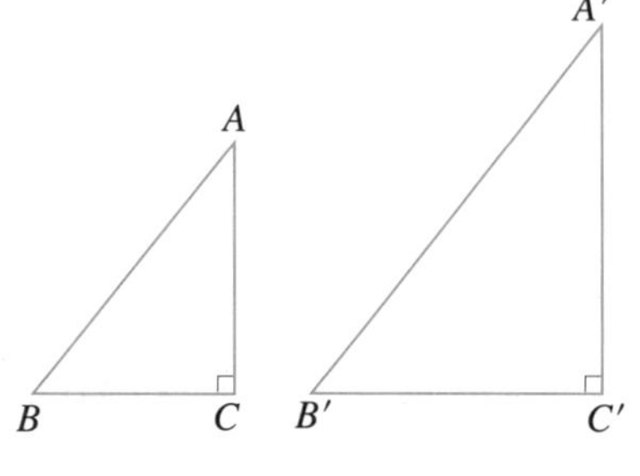

图 27.2-12

如图 27.2-12，在 $Rt\triangle ABC$ 和 $Rt\triangle A'B'C'$ 中，$\angle C=90°$，$\angle C'=90°$，$\dfrac{AB}{A'B'}=\dfrac{AC}{A'C'}$. 求证 $Rt\triangle ABC\backsim Rt\triangle A'B'C'$.

分析：要证 $Rt\triangle ABC\backsim Rt\triangle A'B'C'$，可设法证 $\dfrac{BC}{B'C'}=\dfrac{AB}{A'B'}=\dfrac{AC}{A'C'}$. 若设 $\dfrac{AB}{A'B'}=\dfrac{AC}{A'C'}=k$，则只需证 $\dfrac{BC}{B'C'}=k$.

*证明：设 $\dfrac{AB}{A'B'}=\dfrac{AC}{A'C'}=k$，则 $AB=kA'B'$，$AC=kA'C'$.

由勾股定理，得 $BC=\sqrt{AB^2-AC^2}$，$B'C'=\sqrt{A'B'^2-A'C'^2}$.

$$\therefore\quad \frac{BC}{B'C'}=\frac{\sqrt{AB^2-AC^2}}{B'C'}=\frac{\sqrt{k^2\cdot A'B'^2-k^2\cdot A'C'^2}}{B'C'}=\frac{k\cdot B'C'}{B'C'}=k.$$

$$\therefore\quad \frac{BC}{B'C'}=\frac{AB}{A'B'}=\frac{AC}{A'C'}.$$

$\therefore\quad Rt\triangle ABC\backsim Rt\triangle A'B'C'$.

练习

1. 底角相等的两个等腰三角形是否相似？顶角相等的两个等腰三角形呢？证明你的结论.
2. 如图，$Rt\triangle ABC$ 中，CD 是斜边 AB 上的高. 求证：(1) $\triangle ACD\backsim\triangle ABC$；(2) $\triangle CBD\backsim\triangle ABC$.

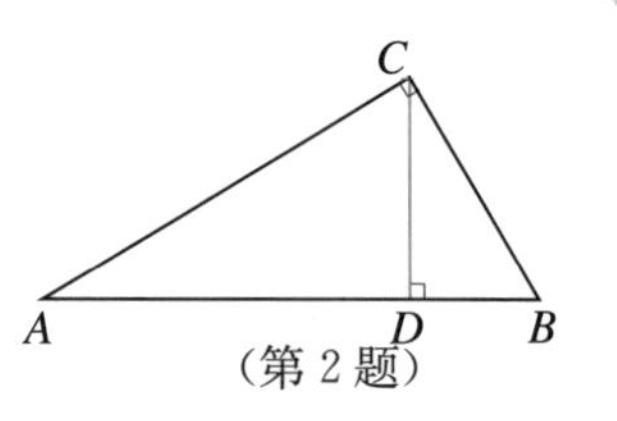

（第 2 题）

3. 如果 $Rt\triangle ABC$ 的两条直角边分别为 3 和 4，那么以 $3k$ 和 $4k$（k 是正整数）为直角边的直角三角形一定与 $Rt\triangle ABC$ 相似吗？为什么？

27.2.2 相似三角形的性质

思考

三角形中有各种各样的几何量，例如三条边的长度，三个内角的度数，高、中线、角平分线的长度，以及周长、面积等．如果两个三角形相似，那么它们的这些几何量之间有什么关系呢？

根据三角形相似的定义可知，相似三角形的对应角相等，对应边成比例．下面，我们研究相似三角形的其他几何量之间的关系．

探究

如图 27.2-13，$\triangle ABC\backsim\triangle A'B'C'$，相似比为 k，它们对应高、对应中线、对应角平分线的比各是多少？

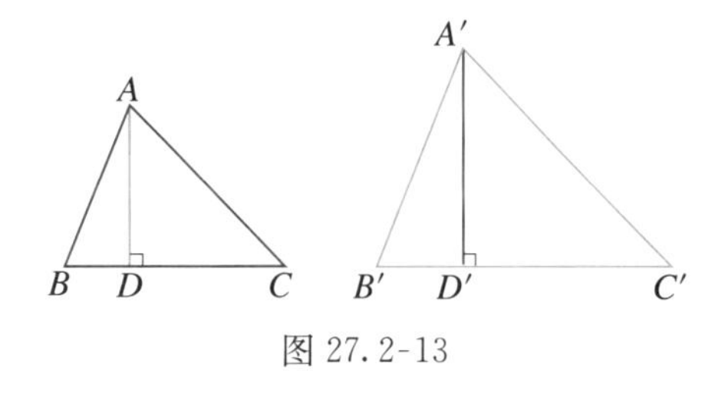

图 27.2-13

如图 27.2-13，分别作 $\triangle ABC$ 和 $\triangle A'B'C'$ 的对应高 AD 和 $A'D'$.

$\because$ $\triangle ABC\backsim\triangle A'B'C'$，

$\therefore$ $\angle B=\angle B'$.

又 $\triangle ABD$ 和 $\triangle A'B'D'$ 都是直角三角形，

$\therefore$ $\triangle ABD\backsim\triangle A'B'D'$.

$\therefore$ $\dfrac{AD}{A'D'}=\dfrac{AB}{A'B'}=k$.

类似地，可以证明相似三角形对应中线的比、对应角平分线的比也等于 k.

这样，我们得到：

相似三角形对应高的比，对应中线的比与对应角平分线的比都等于相似比.

一般地，我们有：

相似三角形对应线段的比等于相似比.

相似三角形的周长有什么关系？

思考

相似三角形面积的比与相似比有什么关系?

如图 27.2-13，由前面的结论，我们有

$$\frac{S_{\triangle ABC}}{S_{\triangle A'B'C'}}=\frac{\frac{1}{2}BC\cdot AD}{\frac{1}{2}B'C'\cdot A'D'}=\frac{BC}{B'C'}\cdot\frac{AD}{A'D'}=k\cdot k=k^2.$$

这样，我们得到:

相似三角形面积的比等于相似比的平方.

例 3　如图 27.2-14，在$\triangle ABC$ 和$\triangle DEF$ 中，$AB=2DE$，$AC=2DF$，$\angle A=\angle D$. 若$\triangle ABC$ 的边 BC 上的高为 6，面积为 $12\sqrt{5}$，求$\triangle DEF$ 的边 EF 上的高和面积.

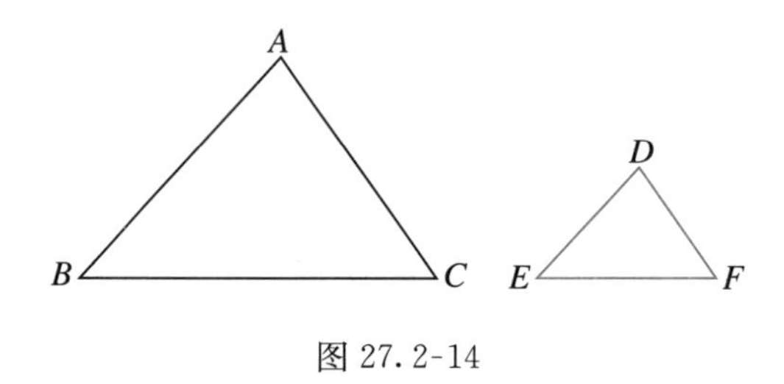

图 27.2-14

解：在$\triangle ABC$ 和$\triangle DEF$ 中，

$\because$ $AB=2DE$，$AC=2DF$，

$\therefore$ $\frac{DE}{AB}=\frac{DF}{AC}=\frac{1}{2}$.

又 $\angle D=\angle A$，

$\therefore$ $\triangle DEF\backsim\triangle ABC$，$\triangle DEF$ 与$\triangle ABC$ 的相似比为$\frac{1}{2}$.

$\because$ $\triangle ABC$ 的边 BC 上的高为 6，面积为 $12\sqrt{5}$，

$\therefore$ $\triangle DEF$ 的边 EF 上的高为$\frac{1}{2}\times 6=3$，

面积为$\left(\frac{1}{2}\right)^2\times 12\sqrt{5}=3\sqrt{5}$.

练习

1. 判断题（正确的画“√”，错误的画“×”）.

（1）一个三角形的各边长扩大为原来的 5 倍，这个三角形的角平分线也扩大为原来的 5 倍；（　）

（2）一个三角形的各边长扩大为原来的 9 倍，这个三角形的面积也扩大为原来的 9 倍.（　）

2. 如图，$\triangle ABC$ 与 $\triangle A'B'C'$ 相似，AD，BE 是 $\triangle ABC$ 的高，$A'D'$，$B'E'$ 是 $\triangle A'B'C'$ 的高，求证 $\dfrac{AD}{A'D'}=\dfrac{BE}{B'E'}$.

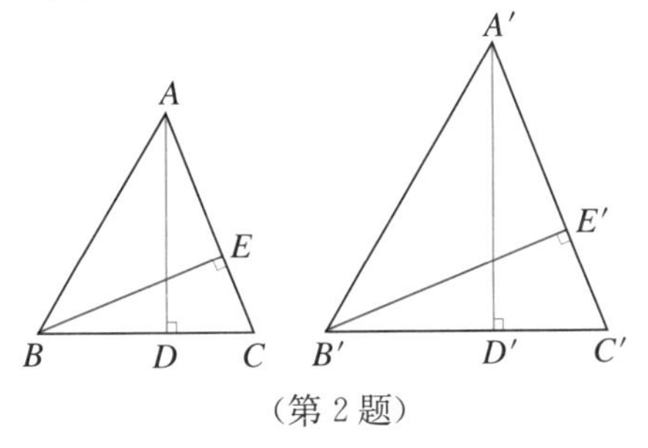

（第 2 题）

3. 在一张复印出来的纸上，一个三角形的一条边由原图中的 2 cm 变成了 6 cm，放缩比例是多少？这个三角形的面积发生了怎样的变化？

27.2.3 相似三角形应用举例

利用三角形的相似，可以解决一些测量问题. 下面来看几个例子.

例 4 据传说，古希腊数学家、天文学家泰勒斯曾利用相似三角形的原理，在金字塔影子的顶部立一根木杆，借助太阳光线构成两个相似三角形，来测量金字塔的高度.

如图 27.2-15，木杆 EF 长 2 m，它的影长 FD 为 3 m，测得 OA 为 201 m，求金字塔的高度 BO.

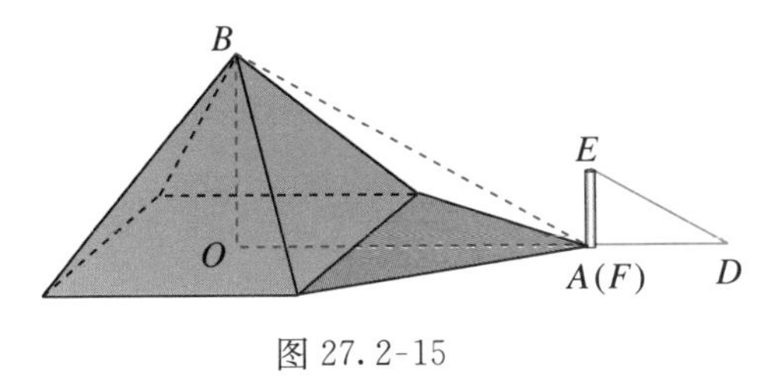

图 27.2-15

怎样测出 OA 的长？

解：太阳光是平行光线，因此

$$\angle BAO=\angle EDF.$$

又 $\angle AOB=\angle DFE=90^\circ$，

∴ $\triangle ABO \backsim \triangle DEF$.

∴ $\dfrac{BO}{EF}=\dfrac{OA}{FD}$，

∴ $BO=\dfrac{OA \cdot EF}{FD}=\dfrac{201\times 2}{3}=134(\text{m})$.

因此金字塔的高度为 134 m.

例 5　如图 27.2-16，为了估算河的宽度，我们可以在河对岸选定一个目标点 P，在近岸取点 Q 和 S，使点 P，Q，S 共线且直线 PS 与河垂直，接着在过点 S 且与 PS 垂直的直线 a 上选择适当的点 T，确定 PT 与过点 Q 且垂直 PS 的直线 b 的交点 R. 已测得 $QS=45$ m，$ST=90$ m，$QR=60$ m，请根据这些数据，计算河宽 PQ.

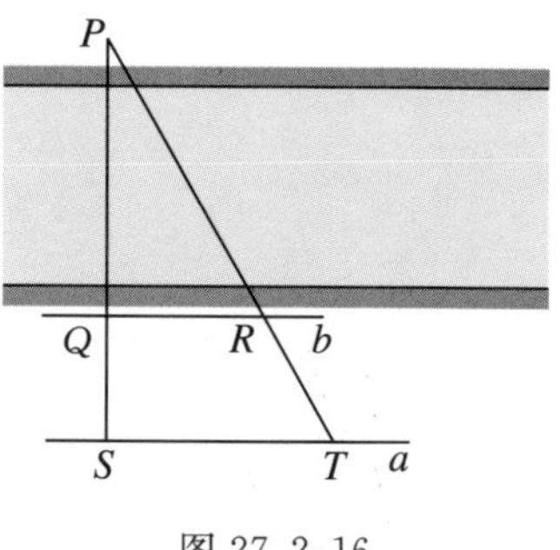

图 27.2-16

解：∵ $\angle PQR=\angle PST=90^\circ$，$\angle P=\angle P$，

∴ $\triangle PQR \backsim \triangle PST$.

∴ $\dfrac{PQ}{PS}=\dfrac{QR}{ST}$，

即

$$\frac{PQ}{PQ+QS}=\frac{QR}{ST},\ \frac{PQ}{PQ+45}=\frac{60}{90},$$

$PQ\times 90=(PQ+45)\times 60$.

解得　$PQ=90(\text{m})$.

因此，河宽大约为 90 m.

例 6　如图 27.2-17，左、右并排的两棵大树的高分别为 $AB=8$ m 和 $CD=12$ m，两树底部的距离 $BD=5$ m，一个人估计自己眼睛距地面 1.6 m. 她沿着正对这两棵树的一条水平直路 l 从左向右前进，当她与左边较低的树的距离小于多少时，就看不到右边较高的树的顶端 C 了？

分析：如图 27.2-17(1)，设观察者眼睛的位置为点 F，画出观察者的水

平视线 FG，分别交 AB，CD 于点 H，K．视线 FA 与 FG 的夹角 $\angle AFH$ 是观察点 A 时的仰角．类似地，$\angle CFK$ 是观察点 C 时的仰角．由于树的遮挡，区域Ⅰ和Ⅱ，观察者都看不到．

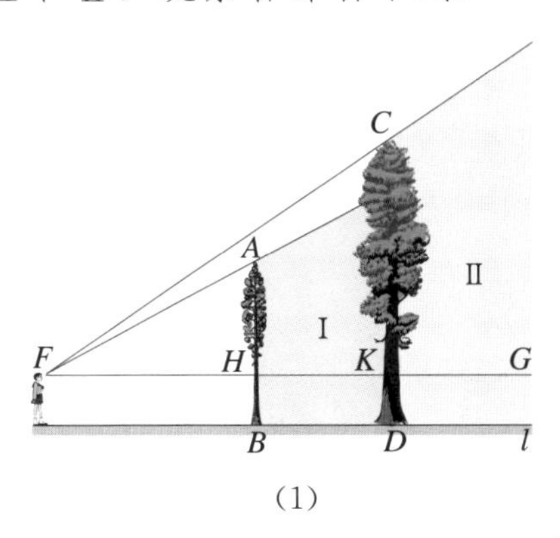

(1)

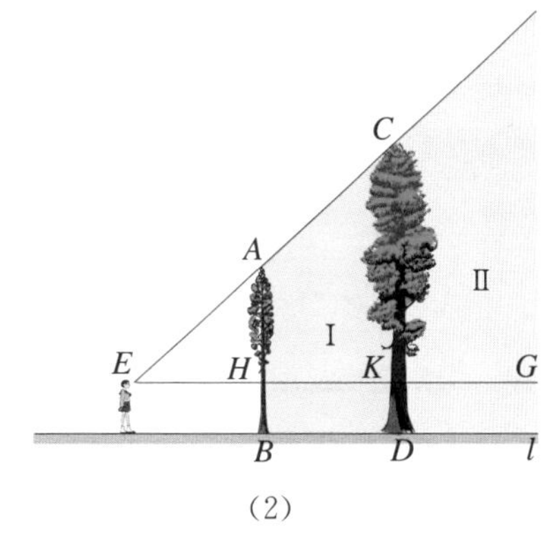

(2)

图 27.2-17

解：如图 27.2-17(2)，假设观察者从左向右走到点 E 时，她的眼睛的位置点 E 与两棵树的顶端 A，C 恰在一条直线上．

∵ $AB\perp l$，$CD\perp l$，

∴ $AB/\!/CD$．

∴ $\triangle AEH\backsim\triangle CEK$．

∴ $\dfrac{EH}{EK}=\dfrac{AH}{CK}$，

即

$$\frac{EH}{EH+5}=\frac{8-1.6}{12-1.6}=\frac{6.4}{10.4}.$$

解得

$$EH=8(\text{m}).$$

由此可知，如果观察者继续前进，当她与左边的树的距离小于8 m时，由于这棵树的遮挡，她看不到右边树的顶端 C．

练习

1. 在某一时刻，测得一根高为 1.8 m 的竹竿的影长为 3 m，同时测得一栋楼的影长为90 m，这栋楼的高度是多少？
2. 如图，测得 $BD=120$ m，$DC=60$ m，$EC=50$ m，求河宽 AB．

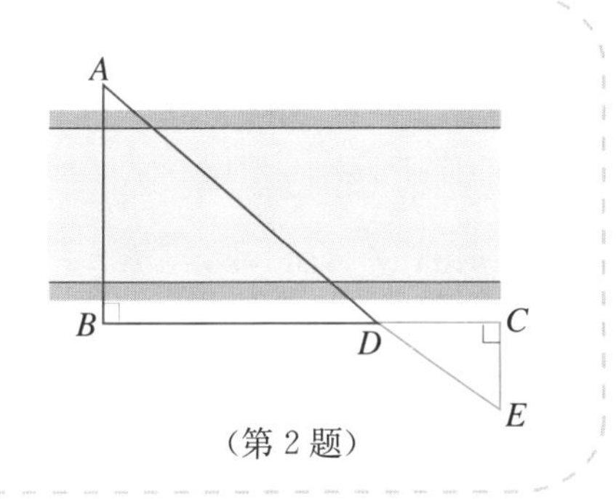

（第 2 题）

习题 27.2

复习巩固

1. 有一块三角形的草地，它的一条边长为 25 m. 在图纸上，这条边的长为 5 cm，其他两条边的长都为 4 cm，求其他两边的实际长度.

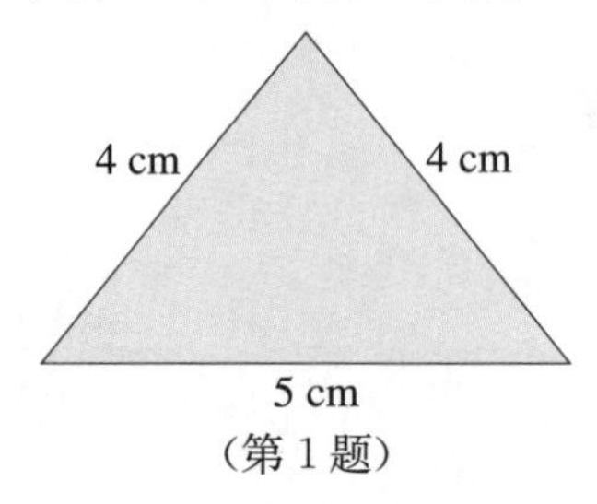

（第 1 题）

2. 根据下列条件，判断$\triangle ABC$与$\triangle A'B'C'$是否相似，并说明理由：

(1) $AB=10$ cm，$BC=12$ cm，$AC=15$ cm，$A'B'=150$ cm，$B'C'=180$ cm，$A'C'=225$ cm；

(2) $\angle A=70^\circ$，$\angle B=48^\circ$，$\angle A'=70^\circ$，$\angle C'=62^\circ$.

3. 如图，(1) 判断两个三角形是否相似；(2) 求 x 和 y 的值.

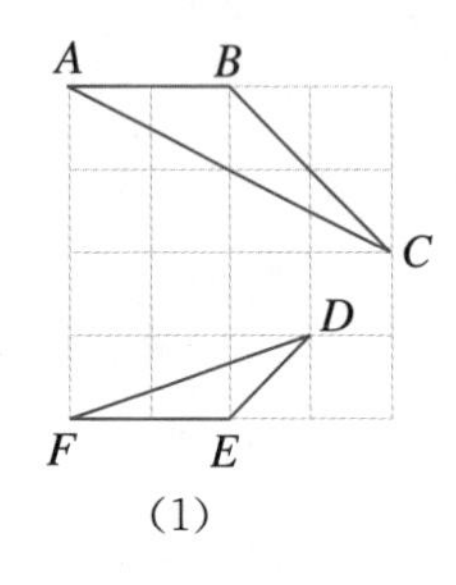

(1)

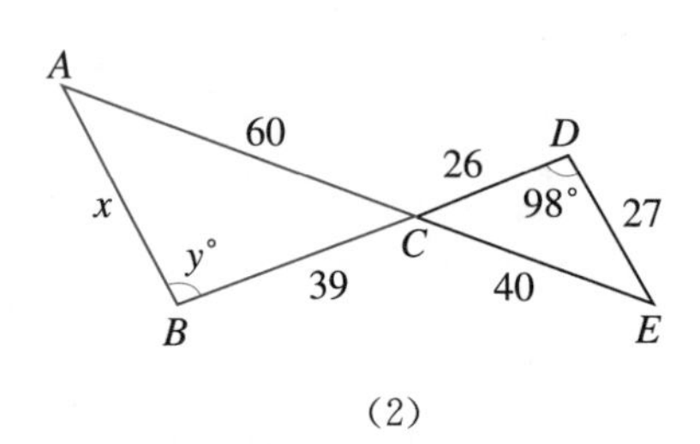

(2)

（第 3 题）

4. 如图，$\triangle ABC$ 中，$DE /\!/ BC$，$EF /\!/ AB$，求证$\triangle ADE \backsim \triangle EFC$.

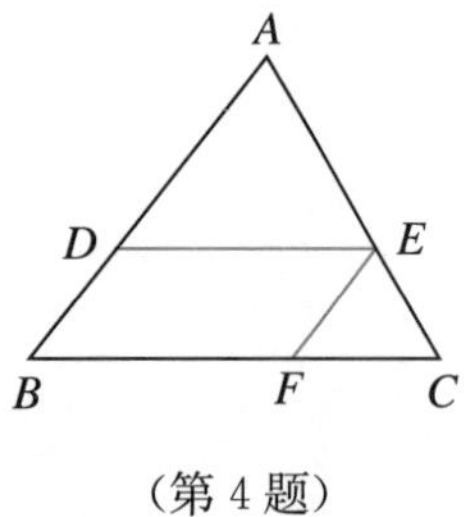

（第 4 题）

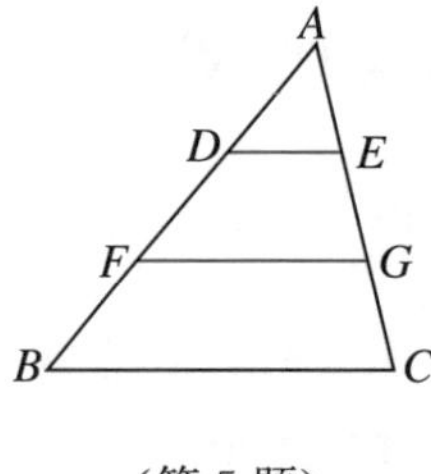

（第 5 题）

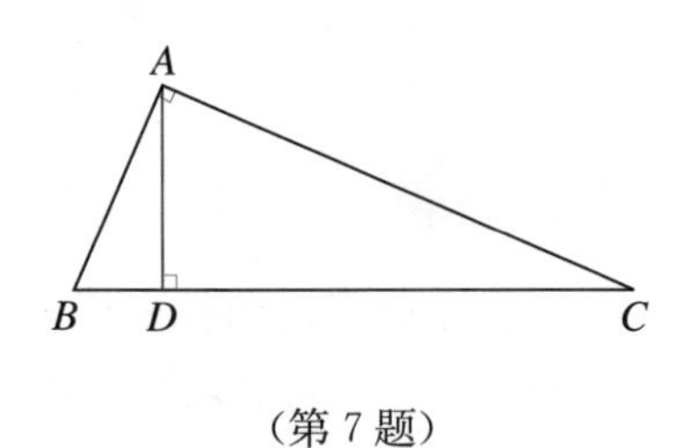

（第 7 题）

5. 如图，$\triangle ABC$ 中，$DE /\!/ FG /\!/ BC$，找出图中所有的相似三角形.

6. 如果把两条直角边分别为 30 cm，40 cm 的直角三角形按相似比$\dfrac{3}{5}$进行缩小，得到的直角三角形的两条直角边的长和面积各是多少？

7. 如图，AD 是 Rt$\triangle ABC$ 斜边上的高. 若 $AB=4$ cm，$BC=10$ cm，求 BD 的长.

综合运用

8. 如图，比例规是一种画图工具，它由长度相等的两脚 AD 和 BC 交叉构成. 利用它可以把线段按一定的比例伸长或缩短. 如果把比例规的两脚合上，使螺丝钉固定在刻度 3 的地方（即同时使$OA=3OD$，$OB=3OC$），然后张开两脚，使 A，B 两个尖端分别在线段 l 的两个端点上，这时 CD 与 AB 有什么关系？为什么？

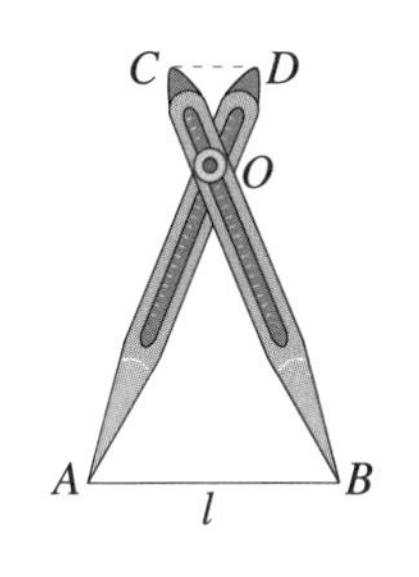

（第 8 题）

9. 如图，利用标杆 BE 测量建筑物的高度. 如果标杆 BE 高 1.2 m，测得$AB=1.6$ m，$BC=12.4$ m，楼高 CD 是多少？

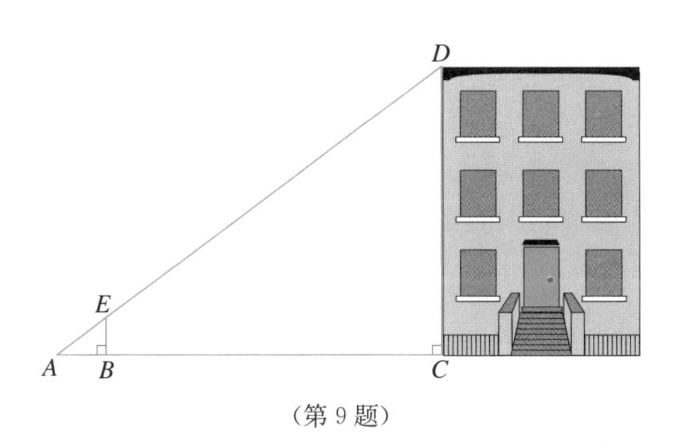

（第 9 题）

（第 10 题）

10. 如图，为了测量一栋楼的高度，王青同学在她脚下放了一面镜子，然后向后退，直到她刚好在镜子中看到楼的顶部. 这时$\angle LMK$ 等于$\angle SMT$ 吗？如果王青身高 1.55 m，她估计自己眼睛距地面1.50 m，同时量得 $LM=30$ cm，$MS=2$ m，这栋楼有多高？

11. 如图，四边形 $ABCD$ 是矩形，点 F 在对角线AC 上运动，$EF\parallel BC$，$FG\parallel CD$，四边形 $AEFG$ 和四边形 $ABCD$ 一直保持相似吗？证明你的结论.

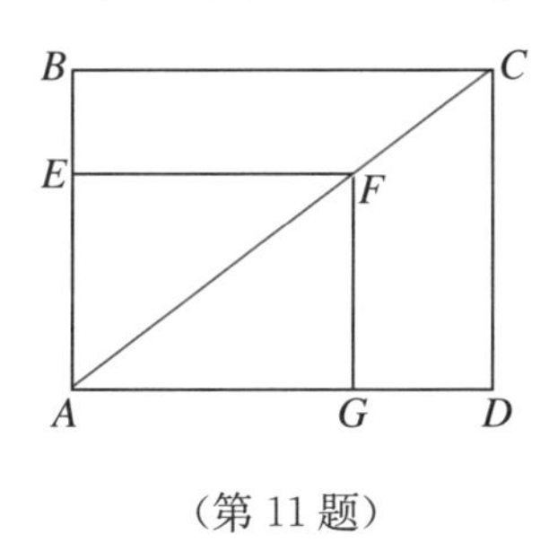

（第 11 题）

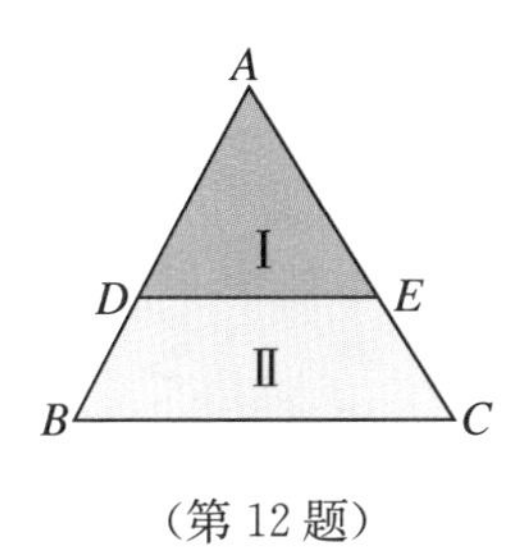

（第 12 题）

12. 如图，平行于 BC 的直线 DE 把$\triangle ABC$ 分成面积相等的两部分，试确定点 D（或 E）的位置.

拓广探索

13. 如图，$\triangle ABC$ 中，CD 是边 AB 上的高，且$\dfrac{AD}{CD}=\dfrac{CD}{BD}$，求$\angle ACB$ 的大小.

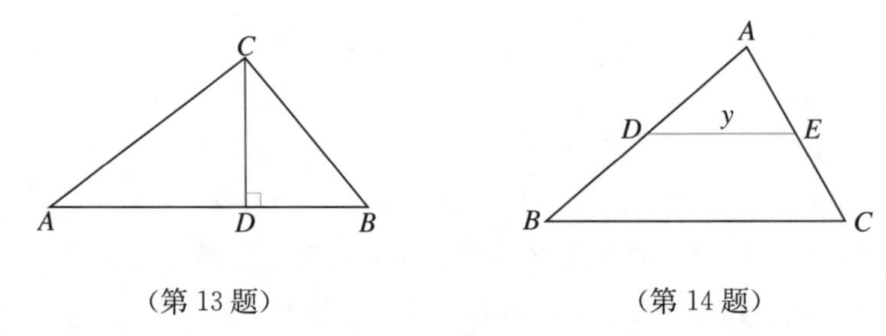

（第 13 题）　　（第 14 题）

14. 如图，$\triangle ABC$ 中，$AB=8$，$AC=6$，$BC=9$. 如果动点 D 以每秒 2 个单位长度的速度，从点 B 出发沿边 BA 向点 A 运动，此时直线 $DE /\!/ BC$，交 AC 于点 E. 记 x 秒时 DE 的长度为 y，写出 y 关于 x 的函数解析式，并画出它的图象.

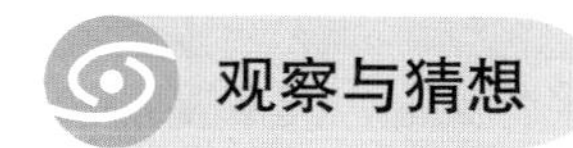

观察与猜想

奇妙的分形图形

下面是两幅奇妙的图形，你能发现它们有什么共同的特点吗？

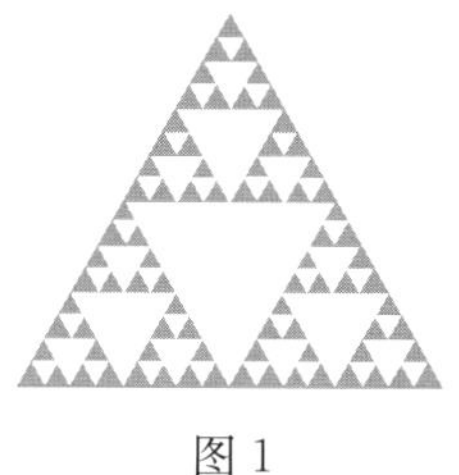

图 1

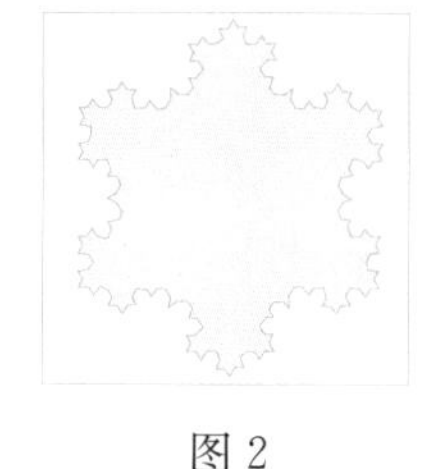

图 2

图 1 叫做谢尔宾斯基地毯，它最早是由波兰数学家谢尔宾斯基这样制作出来的：把一个正三角形分为全等的 4 个小正三角形，挖去中间的一个小三角形；对剩下的 3 个小正三角形再分别重复以上做法……将这种做法继续进行下去，就能得到小格子越来越多的谢尔宾斯基地毯（图 3）. 这种图形中大大小小的三角形之间有什么关系？

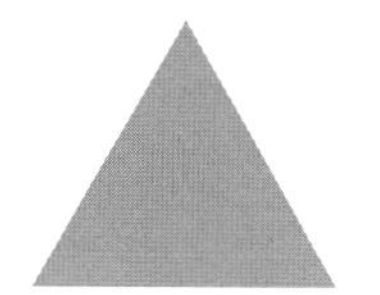
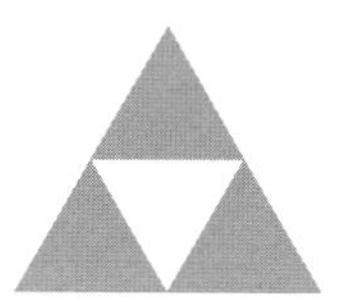

图 3

图 2 叫做雪花曲线，它可以从一个等边三角形开始画：把一个等边三角形的每边分成相同的三段，再在每边中间一段上向外画出一个等边三角形，这样一来就做成了一个六角星. 然后在六角星的各边上用同样的方法向外画出更小的等边三角形，出现了一个有 18 个尖角的图形. 如此继续下去，就能得到分支越来越多的曲线（图 4）. 继续重复上面的过程，图形的外边界逐渐变得越来越曲折、越来越长、图案变得越来越细致、越来越复杂，越来越像雪花、越来越美丽了. 这种图形的产生过程中大大小小的三角形之间有什么关系？

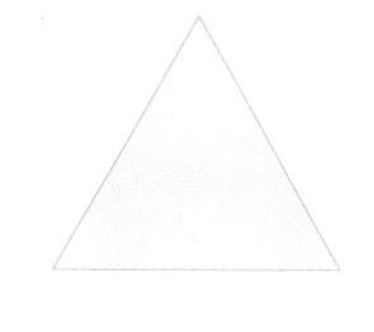

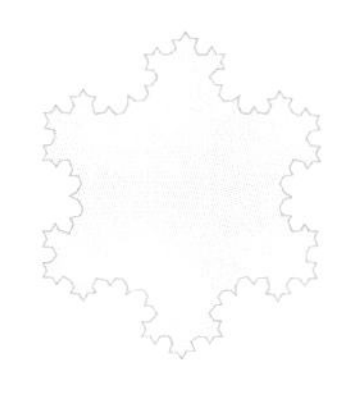

图 4

猜想：上面这样的图形中，存在多种相似关系，例如其中大大小小的三角形是相似的.

事实上，上面的图形中都存在自相似性，即图形的局部与它的整体具有一定程度的相似关系，这样的图形叫做分形图形. 分形图形具有奇特的性质，例如，如果把上面那样画雪花曲线的做法无限地继续下去，雪花曲线的周长可以无限长，但它却可以画在一个小小的格子中；它的尖端可以无限多，无数小尖尖布满了整个曲线，但它们彼此却不会相交. 从 20 世纪 70 年代起，一个新兴的数学分支——分形几何逐步形成，它的研究对象就是具有自相似性的图形.

再看一个分形图形的例子. 画一个大的正五边形，接着画出内嵌的 5 个小正五边形（如果算上中间的一个小正五边形，则正好是 6 个）；在每个小正五边形内再画出 5 个更小的正五边形（图 5）；继续下去，不断重复此过程，就可以得到有无穷自相似结构的分形图形（图 6）. 你愿意试着画画吗？

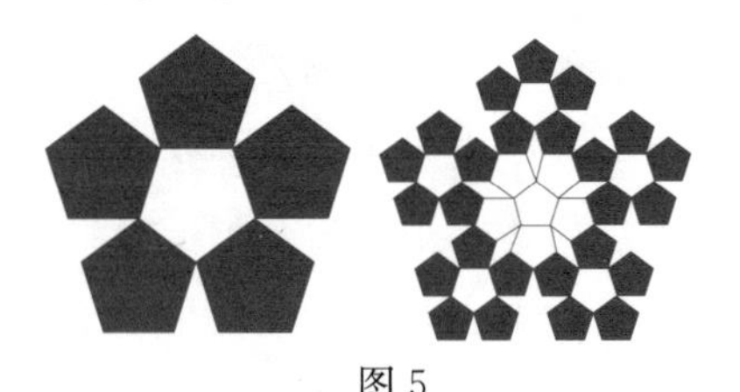

图 5

图 6

27.3 位似

在日常生活中，我们经常见到这样一类相似的图形. 例如，放映幻灯片时，通过光源，把幻灯片上的图形放大到屏幕上. 在照相馆中，摄影师通过照相机，把人物的影像缩小在底片上. 这样的放大或缩小，没有改变图形形状，经过放大或缩小的图形，与原图形是相似的，因此，我们可以得到真实的图片和照片.

下面，我们来研究这类相似的图形.

如图 27.3-1，如果一个图形上的点 A，B，…，P，…和另一个图形上的点 A'，B'，…，P'，…分别对应，并且它们的连线 AA'，BB'，…，PP'，…都经过同一点 O，$\frac{OA'}{OA}=\frac{OB'}{OB}=\cdots=\frac{OP'}{OP}=\cdots$，那么这两个图形叫做**位似图形**（homothetic figures），点 O 是位似中心. 位似图形不仅相似，而且具有特殊的位置关系.

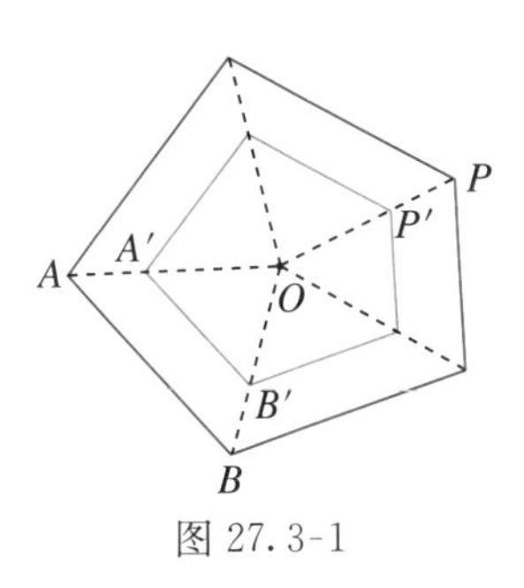

图 27.3-1

对于两个多边形，如果它们的对应顶点的连线相交于一点，并且这点与对应顶点所连线段成比例，那么这两个多边形就是位似多边形.

利用位似，可以将一个图形放大或缩小.

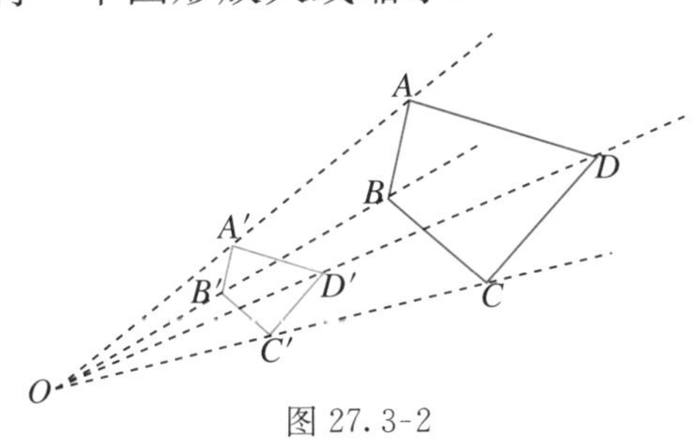

图 27.3-2

例如，要把四边形 $ABCD$ 缩小到原来的 $\frac{1}{2}$，我们可以在四边形 $ABCD$ 外任取一点 O（图 27.3-2），分别在线段 OA，OB，OC，OD 上取点 A'，B'，C'，D'，使得 $\frac{OA'}{OA}=\frac{OB'}{OB}=\frac{OC'}{OC}=\frac{OD'}{OD}=\frac{1}{2}$，顺次连接点 A'，B'，C'，D'，所得四边形 $A'B'C'D'$ 就是所要求的图形.

探究

如果在四边形 $ABCD$ 外任取一点 O，分别在 OA，OB，OC，OD 的反向延长线上取点 A'，B'，C'，D'，使得 $\frac{OA'}{OA}=\frac{OB'}{OB}=\frac{OC'}{OC}=\frac{OD'}{OD}=\frac{1}{2}$，四边形 $A'B'C'D'$ 与四边形 $ABCD$ 有什么关系？如果点 O 取在四边形 $ABCD$ 内部呢？

分别画出得到的四边形 $A'B'C'D'$.

练习

1. 如图，$\triangle OAB$ 和 $\triangle OCD$ 是位似图形，AB 与 CD 平行吗？为什么？

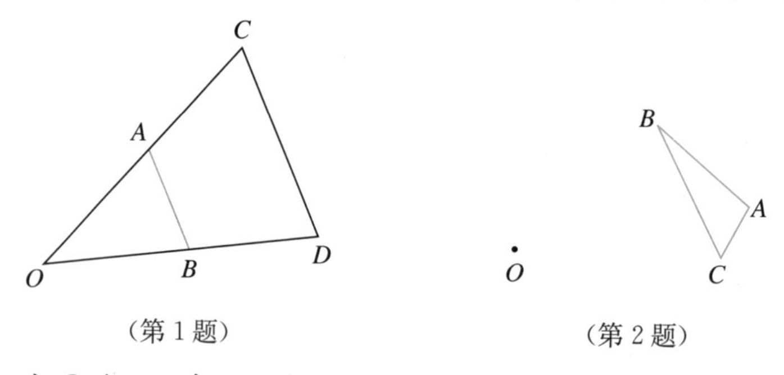

（第 1 题）　　（第 2 题）

2. 如图，以点 O 为位似中心，将 $\triangle ABC$ 放大为原来的 3 倍.

我们知道，在直角坐标系中，可以利用变化前后两个多边形对应顶点的坐标之间的关系表示某些平移、轴对称和旋转（中心对称）. 类似地，位似也可以用两个图形坐标之间的关系来表示.

探究

如图 27.3-3(1)，在直角坐标系中，有两点 $A(6, 3)$，$B(6, 0)$. 以原点 O 为位似中心，相似比为 $\frac{1}{3}$，把线段 AB 缩小. 观察对应点之间坐标的变化，你有什么发现？

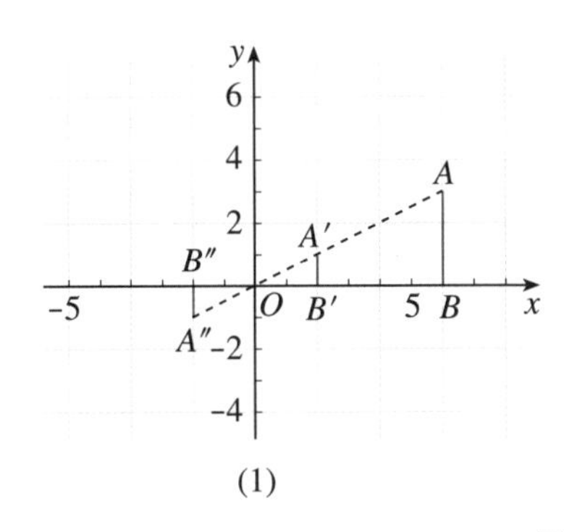

(1)

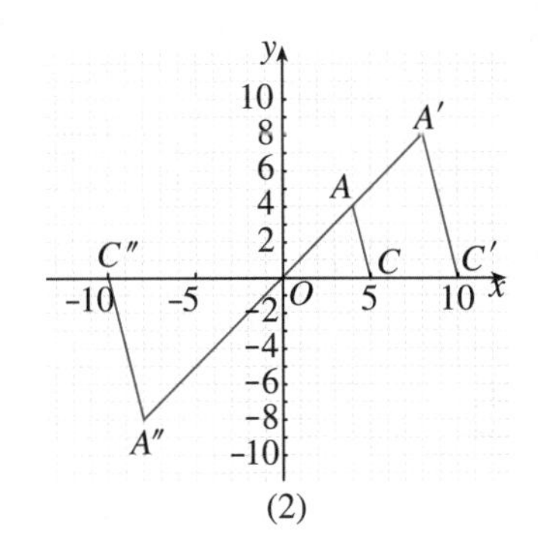

(2)

图 27.3-3

如图 27.3-3(2)，$\triangle AOC$ 三个顶点的坐标分别为 $A(4,4)$，$O(0,0)$，$C(5,0)$. 以点 O 为位似中心，相似比为 2，将$\triangle AOC$ 放大. 观察对应顶点坐标的变化，你有什么发现?

可以看出，图 27.3-3(1) 中，把 AB 缩小后，A，B 的对应点为$A'(2,1)$，$B'(2,0)$；$A''(-2,-1)$，$B''(-2,0)$. 图 27.3-3(2) 中，把$\triangle AOC$ 放大后，A，O，C 的对应点为 $A'(8,8)$，$O(0,0)$，$C'(10,0)$；$A''(-8,-8)$，$O(0,0)$，$C''(-10,0)$.

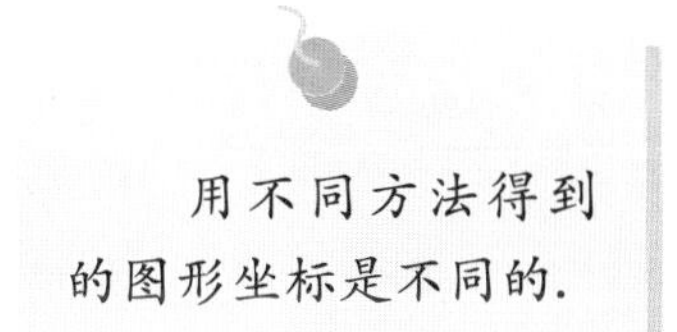

一般地，在平面直角坐标系中，如果以原点为位似中心，画出一个与原图形位似的图形，使它与原图形的相似比为 k，那么与原图形上的点 (x,y) 对应的位似图形上的点的坐标为 (kx,ky) 或 $(-kx,-ky)$.

例　如图 27.3-4，$\triangle ABO$ 三个顶点的坐标分别为$A(-2,4)$，$B(-2,0)$，$O(0,0)$. 以原点 O 为位似中心，画出一个三角形，使它与$\triangle ABO$ 的相似比为$\frac{3}{2}$.

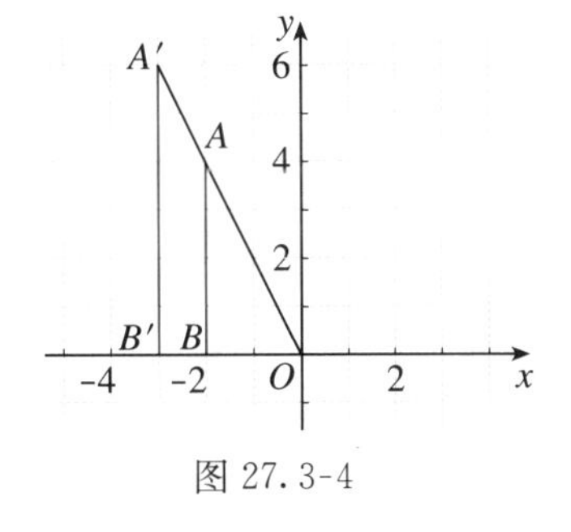

图 27.3-4

分析：由于要画的图形是三角形，所以关键是确定它的各顶点坐标. 根据前面总结的规律，点 A 的对应点 A'的坐标为 $\left(-2\times\frac{3}{2},4\times\frac{3}{2}\right)$，即 $(-3,6)$. 类似地，可以确定其他顶点的坐标.

解：如图 27.3-4，利用位似中对应点的坐标的变化规律，分别取点 $A'(-3,\ 6)$，$B'(-3,\ 0)$，$O(0,\ 0)$. 顺次连接点 A'，B'，O，所得 $\triangle A'B'O$ 就是要画的一个图形.

还可以得到其他图形吗？自己试一试.

练习

1. 如图，把 $\triangle AOB$ 缩小后得到 $\triangle COD$，求 $\triangle COD$ 与 $\triangle AOB$ 的相似比.

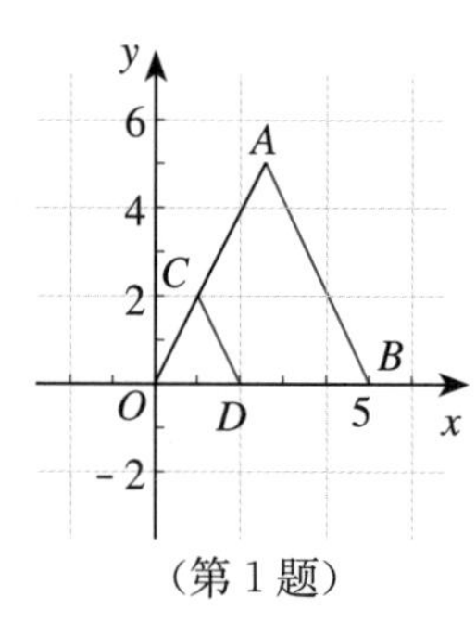

（第 1 题）

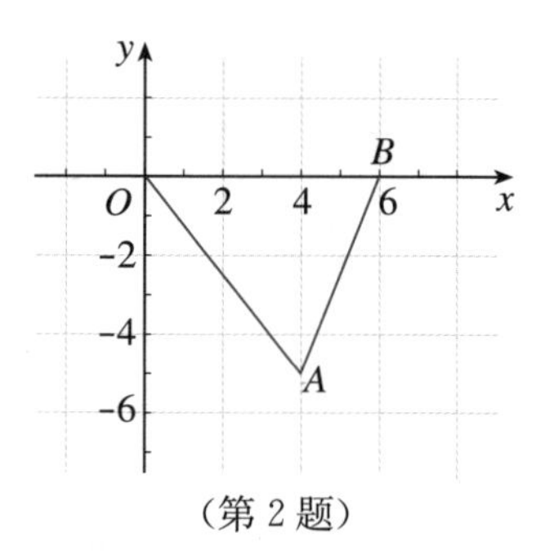

（第 2 题）

2. 如图，$\triangle ABO$ 三个顶点的坐标分别为 $A(4,\ -5)$，$B(6,\ 0)$，$O(0,\ 0)$. 以原点 O 为位似中心，把这个三角形放大为原来的 2 倍，得到 $\triangle A'B'O'$. 写出 $\triangle A'B'O'$ 三个顶点的坐标.

至此，我们已经学习了平移、轴对称、旋转和位似等图形的变化方式. 你能在图 27.3-5 所示的图案中找到它们吗？

图 27.3-5

习题 27.3

复习巩固

1. 如图，如果虚线图形与实线图形是位似图形，求它们的相似比并找出位似中心.

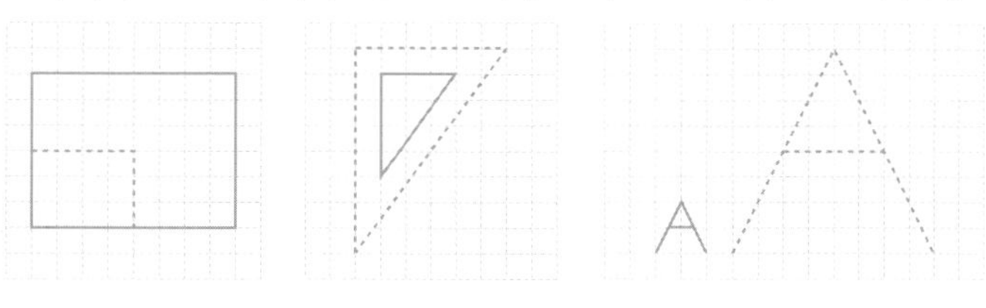

（第 1 题）

2. 如图，以点 P 为位似中心，将五角星的边长缩小为原来的$\frac{1}{2}$.

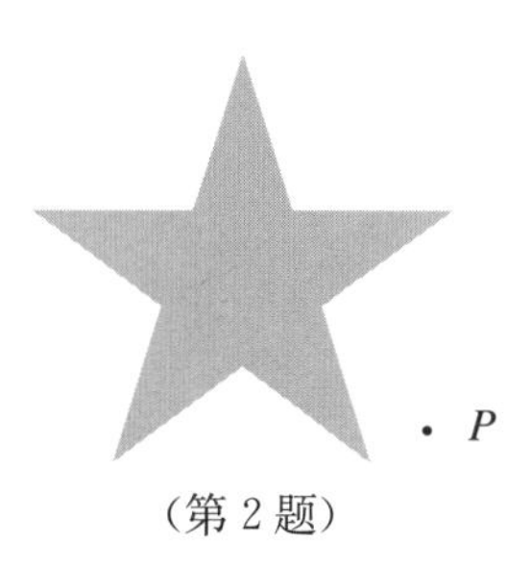

（第 2 题）

3. $\triangle ABC$ 三个顶点的坐标分别为 $A(2, 2)$，$B(4, 2)$，$C(6, 4)$. 以原点 O 为位似中心，将$\triangle ABC$ 缩小得到$\triangle DEF$，使$\triangle DEF$ 与$\triangle ABC$ 对应边的比为 $1:2$，这时$\triangle DEF$ 各个顶点的坐标分别是多少？

综合运用

4. 如图，正方形 $EFGH$，$IJKL$ 都是正方形 $ABCD$ 的位似图形，点 P 是位似中心.

（1）哪个图形与正方形 $ABCD$ 的相似比为 3？

（2）正方形 $IJKL$ 是正方形 $EFGH$ 的位似图形吗？如果是，求相似比.

（3）正方形 $EFGH$ 与正方形 $ABCD$ 的相似比是多少？

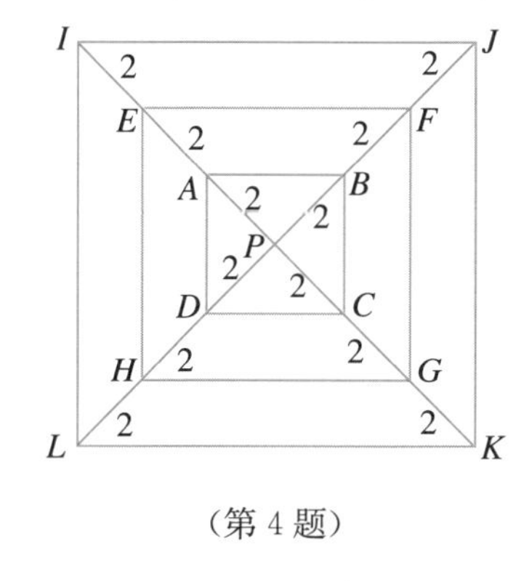

（第 4 题）

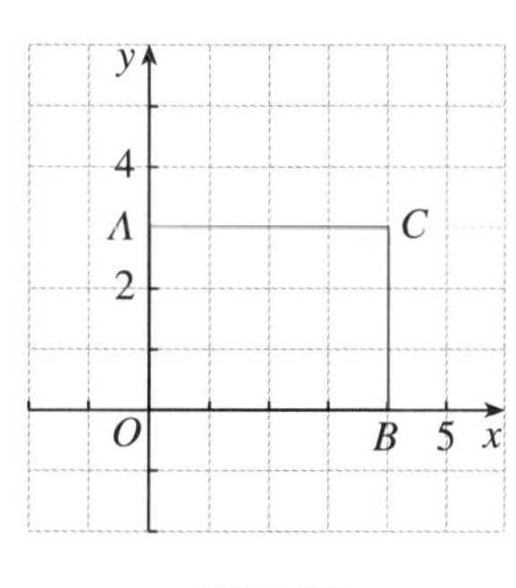

（第 5 题）

5. 如图，矩形 $AOBC$ 各点的坐标分别为 $A(0, 3)$，$O(0, 0)$，$B(4, 0)$，$C(4, 3)$. 以原点 O 为位似中心，将这个矩形缩小为原来的$\frac{1}{2}$，写出新矩形各顶点的坐标.

6. 如图，图中的图案与“A”字图案（虚线图案）相比，发生了什么变化？对应点的坐标之间有什么关系？

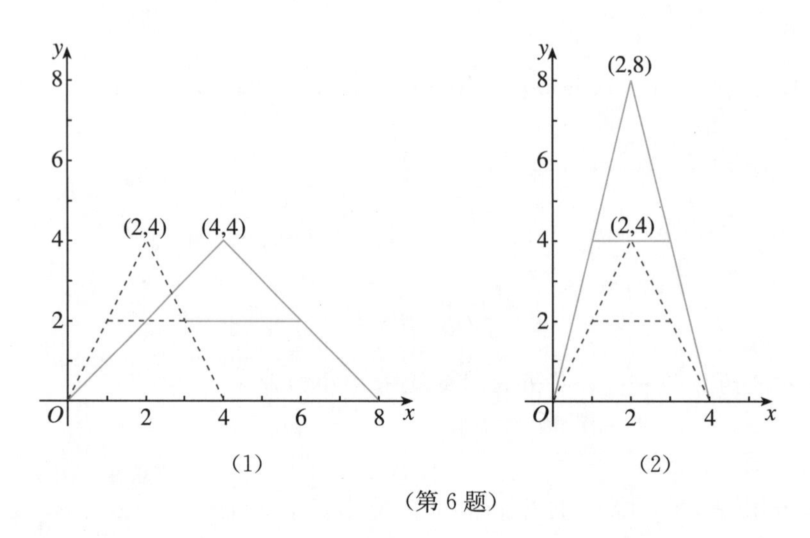

(1)　　(2)

（第 6 题）

拓广探索

7. 如图，以点 Q 为位似中心，画出与矩形 $MNPQ$ 的相似比为 0.75 的一个图形.

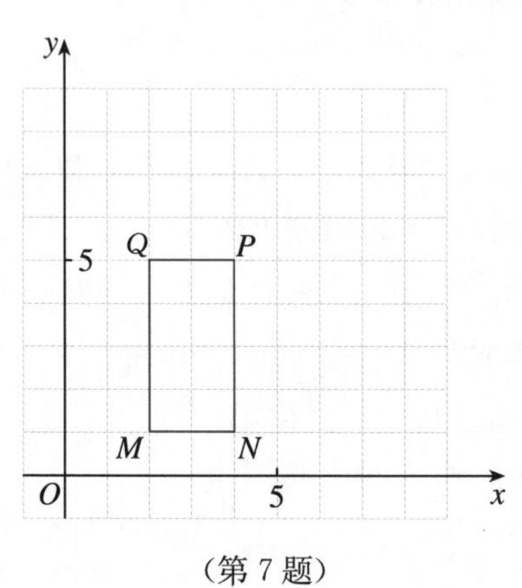

（第 7 题）

信息技术应用

探索位似的性质

利用图形计算器或计算机等信息技术工具，可以很方便地将图形放大或缩小，还可以探索位似的性质. 下面以《几何画板》软件为例说明.

如图 1，任意画一个$\triangle ABC$，以点 O 为位似中心，自选新旧图形的相似比为 k，得到$\triangle A'B'C'$.

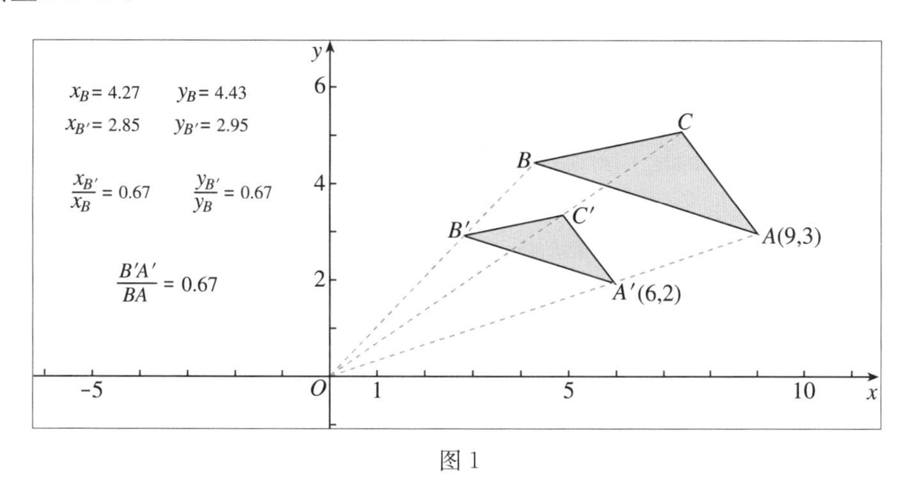

图 1

1. 度量对应边的比，观察结果与 k 的关系.

2. 以 O 为原点建立平面直角坐标系，分别度量点 A，A'的横坐标，并计算比值；分别度量点 A，A'的纵坐标，并计算比值. 观察比值与 k 的关系. 其他对应点呢？

3. 作线段 OA，OA'，OB，OB'，OC，OC'，度量它们，你有什么发现？

4. 任意改变$\triangle ABC$ 的位置，你对上面问题得出的结论是否仍然成立？由此，你能得出位似的一些性质吗？

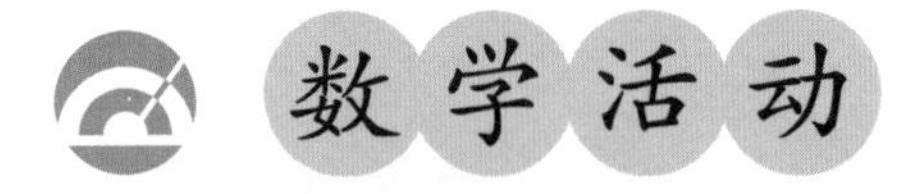

数学活动

活动1 测量旗杆的高度

利用相似三角形可以计算某些不能直接测量的物体的高度. 图 1 显示了测量旗杆高度的几种方法，你能说出各种方法的道理吗?

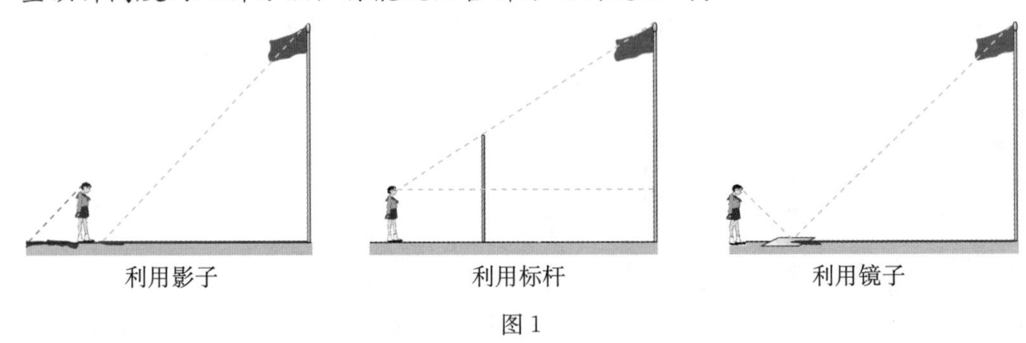

利用影子　　利用标杆　　利用镜子

图 1

用类似的方法，与同学合作，测量校园中一些物体（如旗杆、树木等）的高度.

活动2 位似与美术字

观察图 2(1)（2)中的美术字，你会发现(2)中的字更有立体感.

MATH　　MATH

(1)　　(2)

图 2

量一量这两幅图中每个美术字上端的各条线段，你能否发现其中对应线段的比（相当于图 3 中$\frac{AB}{A'B'}$，$\frac{CD}{C'D'}$）有什么关系?

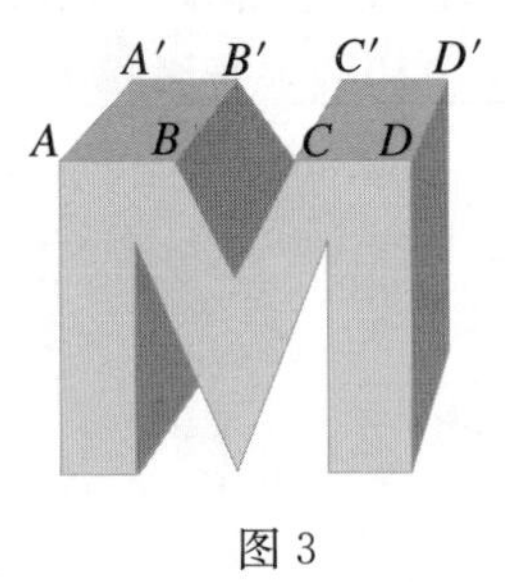

图 3

图 4(1)（2）给出一种图 2 中由第一种美术字写出第二种美术字的方法，请找出其中的位似图形以及位似中心，并解释上面所说的对应线段的比的关系.

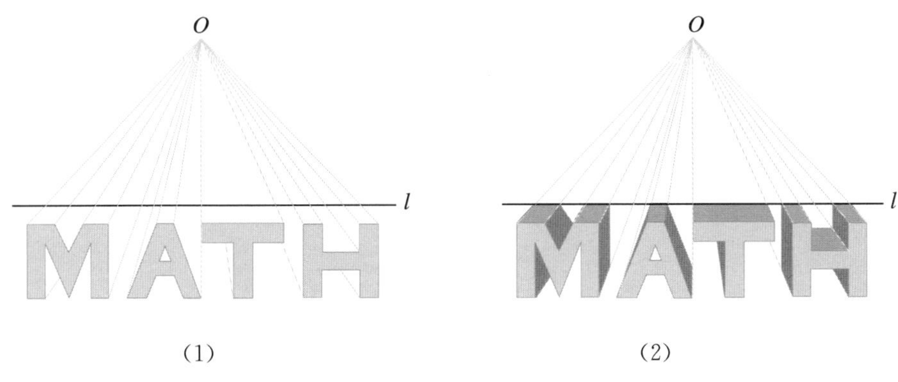

图 4

请你利用位似写出一些立体美术字，并与同学交流.

小　结

一、本章知识结构图

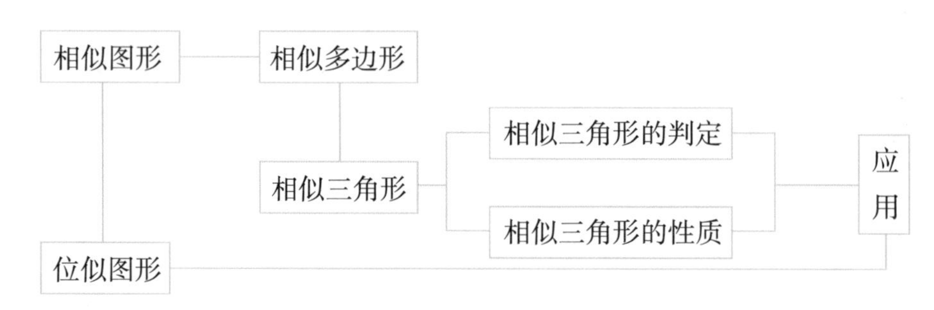

二、回顾与思考

本章我们先由生活实例认识了相似图形，并了解了相似多边形的特征. 然后，重点研究了相似三角形的判定、性质和它在解决实际问题中的应用. 最后，利用相似的知识研究了位似图形的特征.

全等形是相似比为 1 的相似图形，因此全等是特殊的相似. 利用从特殊推广到一般的方法，由研究全等三角形的思路，可以提出相似三角形的问题和研究方法.

请你带着下面的问题，复习一下全章的内容吧.

1. 相似三角形有哪些性质？位似图形呢？

2. 三角形的相似与三角形的全等有什么关系？如何判断两个三角形相似？

3. 举例说明三角形相似的一些应用.

4. 如何利用位似将一个图形放大或缩小？你能说出平移、轴对称、旋转和位似之间的异同，并举出一些它们的实际应用的例子吗？

复习题 27

复习巩固

1. 如图，四边形 $EFGH$ 相似于四边形 $KLMN$，求$\angle E$，$\angle G$，$\angle N$ 的度数以及 x，y，z 的值.

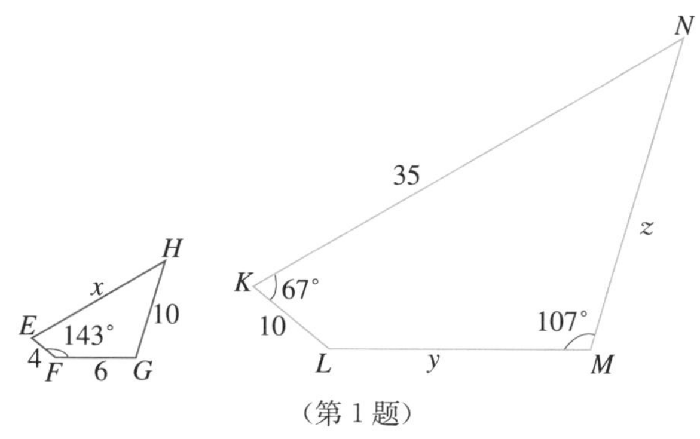

（第 1 题）

2. $\triangle ABC$ 的三边长分别为 5，12，13，与它相似的$\triangle DEF$ 的最小边长为 15，求$\triangle DEF$ 的其他两条边长和周长.

3. 根据下列图中所注的条件，判断图中两个三角形是否相似，并求出 x 和 y 的值.

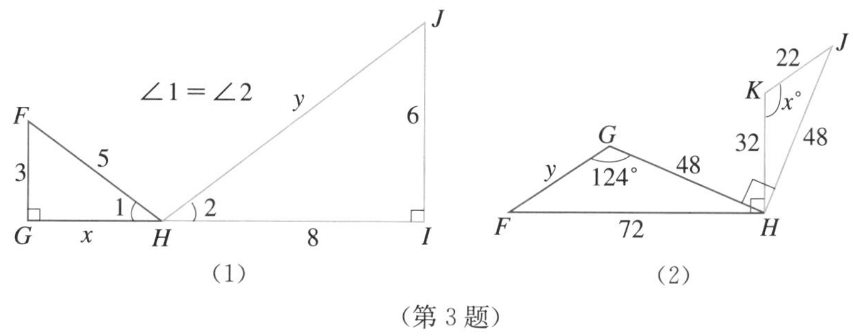

（第 3 题）

4. 李华要在报纸上刊登广告，一块 10 cm×5 cm 的长方形版面要付 180 元的广告费. 如果他要把版面的边长扩大为原来的 3 倍，要付多少广告费（假设每平方厘米版面的广告费相同）？

5. 将如图所示的图形缩小，使得缩小前后对应线段的比为 2∶1.

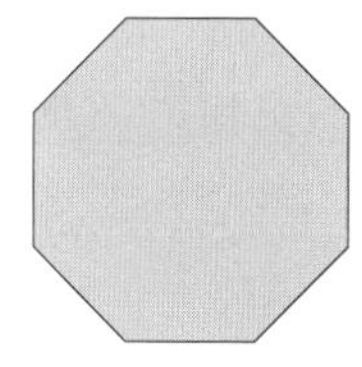

（第 5 题）

综合运用

6. 某同学的座位到黑板的距离是 6 m，老师在黑板上要写多大的字，才能使这名同学看黑板上的字时，与他看相距 30 cm 的教科书上的字的感觉相同（教科书上的小四号字大小约为 0.42 cm×0.42 cm）？

7. 如图，已知零件的外径为 a，现用一个交叉卡钳（两条尺长 AC 和 BD 相等）测量零件的内孔直径 AB. 如果 $OA : OC = OB : OD = n$，且量得 $CD = b$，求 AB 以

及零件厚度 x.

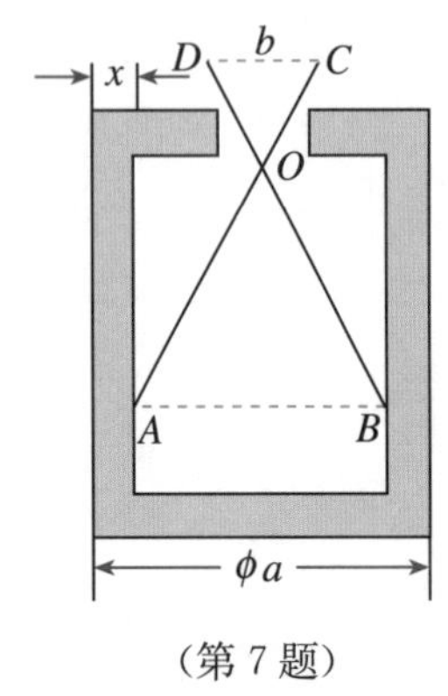

（第 7 题）

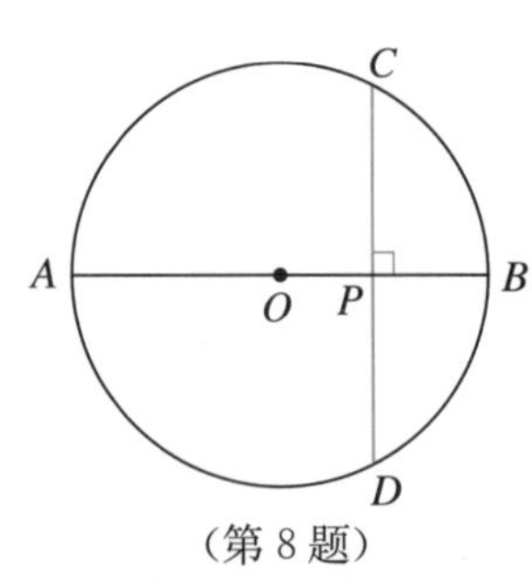

（第 8 题）

8. 如图，CD 是$\odot O$ 的弦，AB 是直径，且 $CD\perp AB$，垂足为 P，求证 $PC^2=PA\cdot PB$.

9. 如图，$AD\perp BC$，垂足为 D，$BE\perp AC$，垂足为 E，AD 与 BE 相交于点 F，连接 ED. 你能在图中找出一对相似三角形，并说明相似的理由吗？

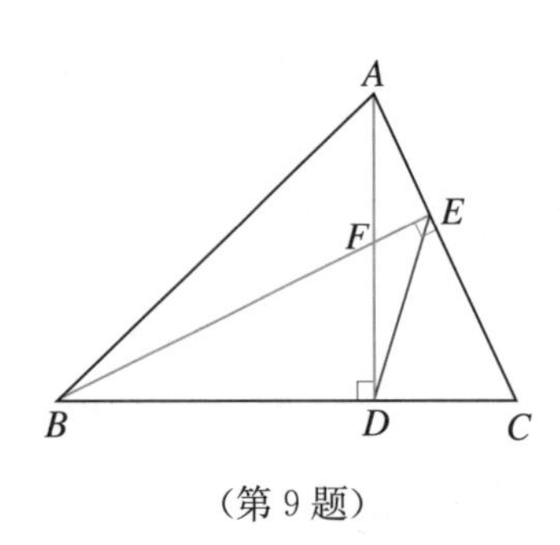

（第 9 题）

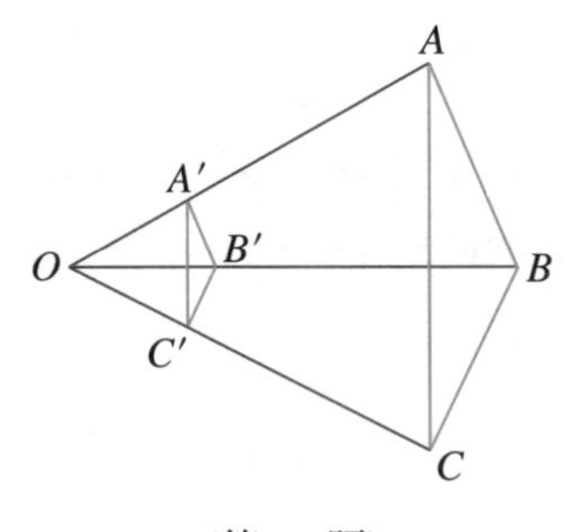

（第 10 题）

10. 如图，$\triangle ABC$ 的三条边与$\triangle A'B'C'$ 的三条边满足 $A'B'\parallel AB$，$B'C'\parallel BC$，$A'C'\parallel AC$，且 $OB=3OB'$. $\triangle ABC$ 的面积与$\triangle A'B'C'$的面积之间有什么关系？

拓广探索

11. 如图，一块材料的形状是锐角三角形 ABC，边 $BC=120$ mm，高 $AD=80$ mm. 把它加工成正方形零件，使正方形的一边在 BC 上，其余两个顶点分别在 AB，AC 上，这个正方形零件的边长是多少？

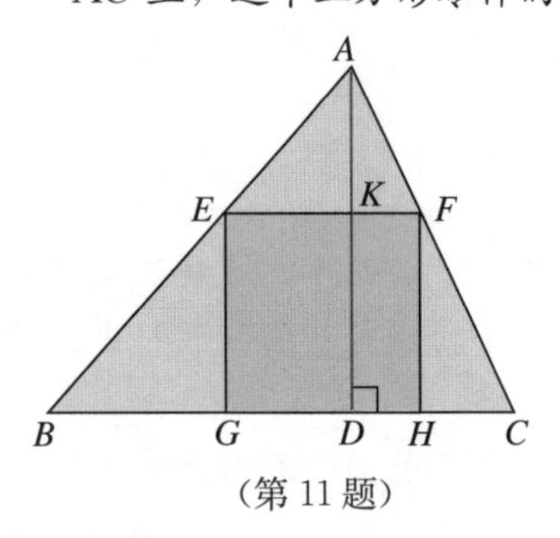

（第 11 题）

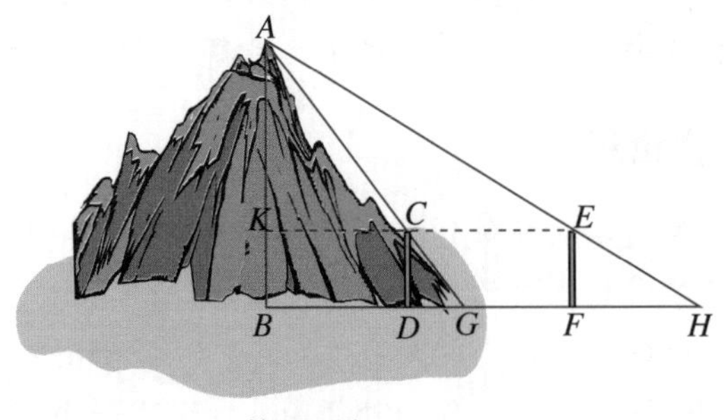

（第 12 题）

12. 如图，为了求出海岛上的山峰 AB 的高度，在 D 处和 F 处树立标杆 CD 和 EF，标杆的高都是 3 丈，D，F 两处相隔1 000步（1 丈＝10 尺，1 步＝6 尺），并且 AB，CD 和 EF 在同一平面内. 从标杆 CD 后退 123 步的 G 处，可以看到顶峰 A 和标杆顶端 C 在一条直线上；从标杆 EF 后退127 步的 H 处，可以看到顶峰 A 和标杆顶端 E 在一条直线上. 求山峰的高度 AB 及它和标杆 CD 的水平距离 BD 各是多少步？（提示：连接 EC 并延长交 AB 于点 K，用含 AK 的式子表示 KC 和 KE.）

（本题原出自我国魏晋时期数学家刘徽所著《重差》，后作为唐代的《海岛算经》中的第一题：今有望海岛，立两表齐高三丈，前后相去千步，令后表与前表参相直. 从前表却行一百二十三步，人目着地，取望岛峰，与表末参合. 从后表却行一百二十七步，人目着地，取望岛峰，亦与表末参合. 问岛高及去表各几何. 唐代的 1 尺约等于现在的 31 cm.）

第二十八章　锐角三角函数

意大利比萨斜塔在1350年落成时就已倾斜，其塔顶中心点偏离垂直中心线2.1 m. 1972年比萨地区发生地震，这座高54.5 m的斜塔在大幅度摇摆后仍巍然屹立，但塔顶中心点偏离垂直中心线增至5.2 m，而且还在继续倾斜，有倒塌的危险. 当地从1990年起对斜塔维修纠偏，2001年竣工，此时塔顶中心点偏离垂直中心线的距离比纠偏前减少了43.8 cm.

根据上述信息，你能用“塔身中心线与垂直中心线所成的角θ（如图）”来描述比萨斜塔的倾斜程度吗?

从数学角度看，上述问题就是：已知直角三角形的某些边长，求其锐角的度数. 对于直角三角形，我们已经知道三边之间、两个锐角之间的关系，它的边角之间有什么关系呢? 本章将通过锐角三角函数，建立直角三角形中边角之间的关系，并利用锐角三角函数等知识，解决包括上述问题在内的与直角三角形有关的度量问题.

28.1 锐角三角函数

问题 为了绿化荒山，某地打算从位于山脚下的机井房沿着山坡铺设水管，在山坡上修建一座扬水站，对坡面的绿地进行喷灌. 现测得斜坡的坡角（$\angle A$）为 30°，为使出水口的高度为 35 m，需要准备多长的水管？

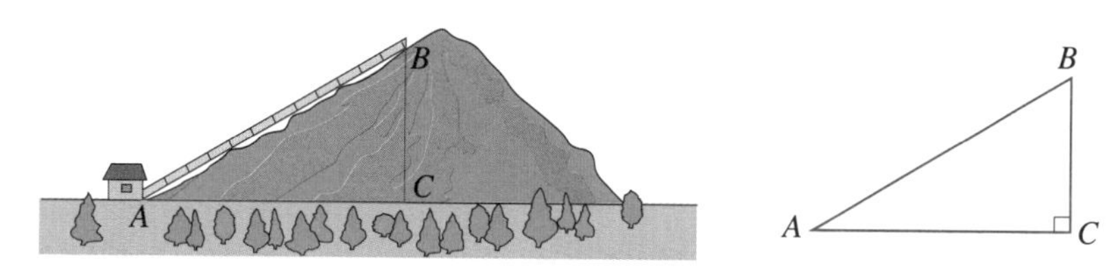

图 28.1-1

这个问题可以归结为：在 Rt$\triangle ABC$ 中，$\angle C=90°$，$\angle A=30°$，$BC=35$ m，求 AB（图 28.1-1).

根据“在直角三角形中，30°角所对的边等于斜边的一半”，即

$$\frac{\angle A\text{ 的对边}}{\text{斜边}}=\frac{BC}{AB}=\frac{1}{2},$$

可得 $AB=2BC=70$(m). 也就是说，需要准备 70 m 长的水管.

思考

在上面的问题中，如果出水口的高度为50 m，那么需要准备多长的水管？

在上面求 AB（所需水管的长度）的过程中，我们用到了结论：在直角三角形中，如果一个锐角等于 30°，那么无论这个直角三角形大小如何，这个角的对边与斜边的比都等于$\frac{1}{2}$.

思考

如图 28.1-2，任意画一个Rt$\triangle ABC$，使 $\angle C=90°$，$\angle A=45°$，计算$\angle A$ 的对边与斜边的比$\frac{BC}{AB}$. 由此你能得出什么结论？

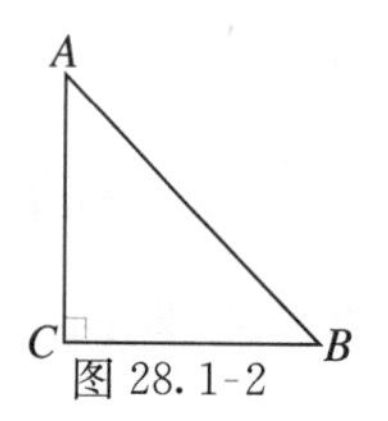

图 28.1-2

如图 28.1-2，在 Rt$\triangle ABC$ 中，$\angle C=90°$，因为$\angle A=45°$，所以 Rt$\triangle ABC$ 是等腰直角三角形．由勾股定理得

$$AB^2=AC^2+BC^2=2BC^2,$$

$$AB=\sqrt{2}BC.$$

因此
$$\frac{BC}{AB}=\frac{BC}{\sqrt{2}BC}=\frac{1}{\sqrt{2}}=\frac{\sqrt{2}}{2},$$

即在直角三角形中，当一个锐角等于 45°时，无论这个直角三角形大小如何，这个角的对边与斜边的比都等于$\frac{\sqrt{2}}{2}$.

综上可知，在 Rt$\triangle ABC$ 中，$\angle C=90°$，当$\angle A=30°$时，$\angle A$ 的对边与斜边的比都等于$\frac{1}{2}$，是一个固定值；当$\angle A=45°$时，$\angle A$ 的对边与斜边的比都等于$\frac{\sqrt{2}}{2}$，也是一个固定值．一般地，当$\angle A$ 是任意一个确定的锐角时，它的对边与斜边的比是否也是一个固定值呢？

任意画 Rt$\triangle ABC$ 和 Rt$\triangle A'B'C'$（图 28.1-3），使得$\angle C=\angle C'=90°$，$\angle A=\angle A'$，那么$\frac{BC}{AB}$与$\frac{B'C'}{A'B'}$有什么关系？你能解释一下吗？

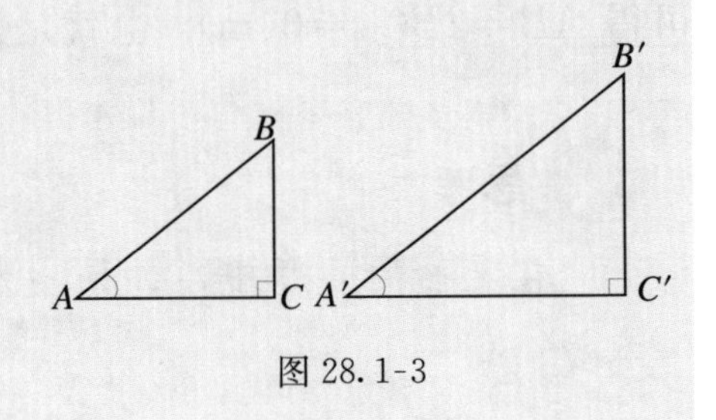

图 28.1-3

在图 28.1-3 中，由于$\angle C=\angle C'=90°$，$\angle A=\angle A'$，所以 Rt$\triangle ABC\backsim$Rt$\triangle A'B'C'$，因此

$$\frac{BC}{B'C'}=\frac{AB}{A'B'},$$

即
$$\frac{BC}{AB}=\frac{B'C'}{A'B'}.$$

这就是说，在 Rt$\triangle ABC$ 中，当锐角 A 的度数一定时，无论这个直角三角形大小如何，$\angle A$ 的对边与斜边的比都是一个固定值.

如图 28.1-4，在 Rt$\triangle ABC$ 中，$\angle C=90^\circ$，我们把锐角 A 的对边与斜边的比叫做$\angle A$ 的**正弦**(sine)，记作 $\sin A$，即

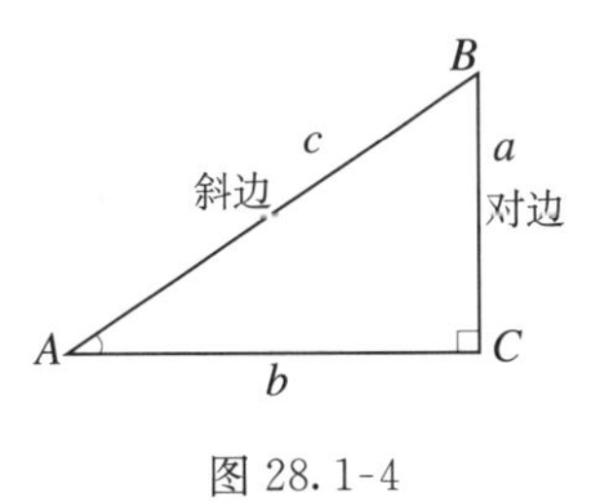

图 28.1-4

$$\sin A=\frac{\angle A\text{ 的对边}}{\text{斜边}}=\frac{a}{c}.$$

例如，当$\angle A=30^\circ$时，我们有

$$\sin A=\sin 30^\circ=\frac{1}{2};$$

当$\angle A=45^\circ$时，我们有

$$\sin A=\sin 45^\circ=\frac{\sqrt{2}}{2}.$$

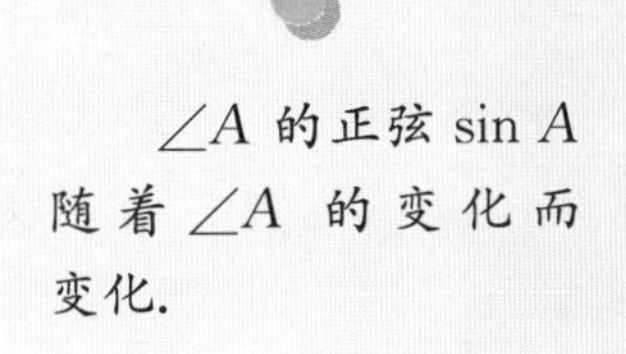

例 1 如图 28.1-5，在 Rt$\triangle ABC$ 中，$\angle C=90^\circ$，求 $\sin A$ 和 $\sin B$ 的值.

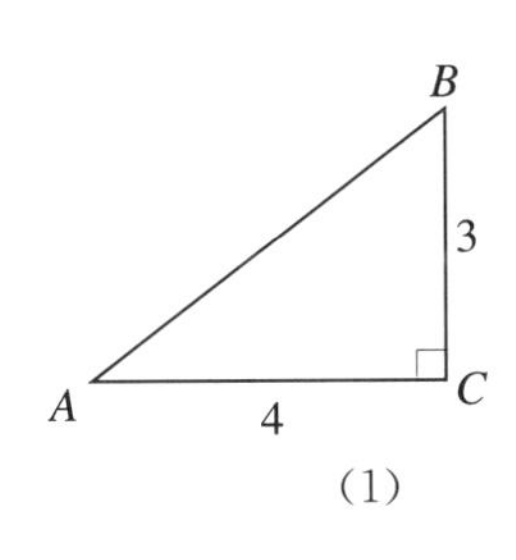

(1)

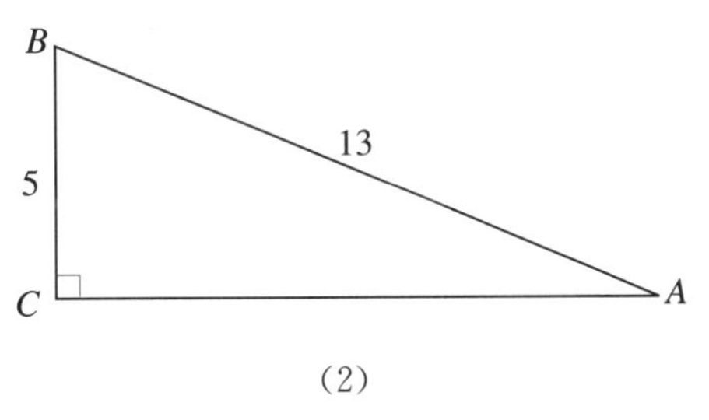

(2)

图 28.1-5

解：如图 (1)，在 Rt$\triangle ABC$ 中，由勾股定理得

$$AB=\sqrt{AC^2+BC^2}=\sqrt{4^2+3^2}=5.$$

因此 $\sin A=\frac{BC}{AB}=\frac{3}{5}$，

$\sin B=\frac{AC}{AB}=\frac{4}{5}$.

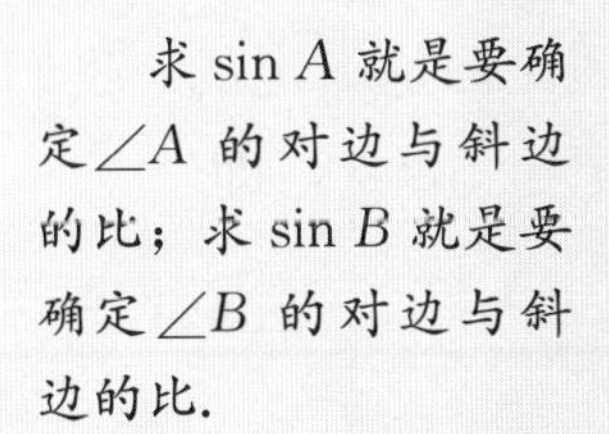

如图 (2)，在 Rt$\triangle ABC$ 中，由勾股定理得

$$AC=\sqrt{AB^2-BC^2}=\sqrt{13^2-5^2}=12.$$

因此 $\sin A=\frac{BC}{AB}=\frac{5}{13}$，

$\sin B=\frac{AC}{AB}=\frac{12}{13}$.

练习

1. 如图，在 Rt△ABC 中，$\angle C=90^\circ$，求 $\sin A$ 和 $\sin B$ 的值.

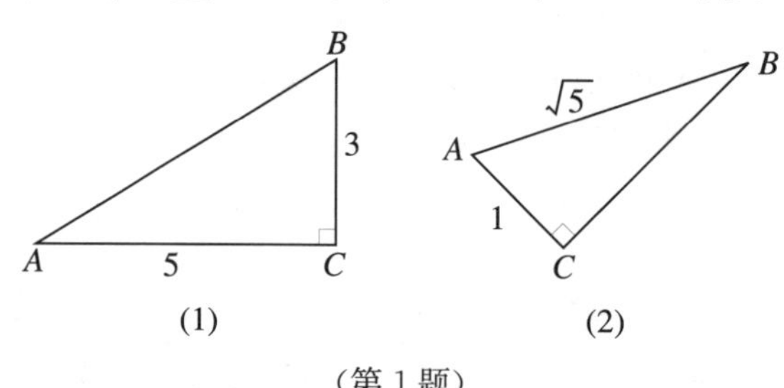

（第 1 题）

2. 在 Rt△ABC 中，$\angle C=90^\circ$，$\angle A=60^\circ$，求 $\sin A$ 的值.

如图 28.1-6，在 Rt△ABC 中，$\angle C=90^\circ$，当$\angle A$ 确定时，$\angle A$ 的对边与斜边的比随之确定. 此时，其他边之间的比是否也随之确定呢？为什么？

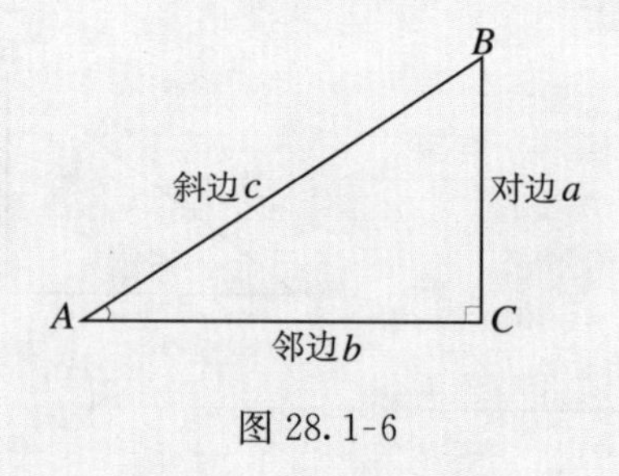

图 28.1-6

类似正弦的情况，利用相似三角形的知识可以证明（请你自己完成证明），在图 28.1-6 中，当$\angle A$ 确定时，$\angle A$ 的邻边与斜边的比、$\angle A$ 的对边与邻边的比都是确定的. 我们把$\angle A$ 的邻边与斜边的比叫做$\angle A$ 的**余弦**（cosine），记作 $\cos A$，即

$$\cos A=\frac{\angle A\text{ 的邻边}}{\text{斜边}}=\frac{b}{c};$$

把$\angle A$ 的对边与邻边的比叫做$\angle A$ 的**正切**（tangent），记作 $\tan A$，即

$$\tan A=\frac{\angle A\text{ 的对边}}{\angle A\text{ 的邻边}}=\frac{a}{b}.$$

$\angle A$ 的正弦、余弦、正切都是$\angle A$ 的**锐角三角函数**（trigonometric function of acute angle）.

对于锐角 A 的每一个确定的值，$\sin A$ 有唯一确定的值与它对应，所以 $\sin A$ 是 A 的函数. 同样地，$\cos A$，$\tan A$ 也是 A 的函数.

例 2 如图 28.1-7，在 Rt$\triangle ABC$ 中，$\angle C=90^{\circ}$，$AB=10$，$BC=6$，求 $\sin A$，$\cos A$，$\tan A$ 的值.

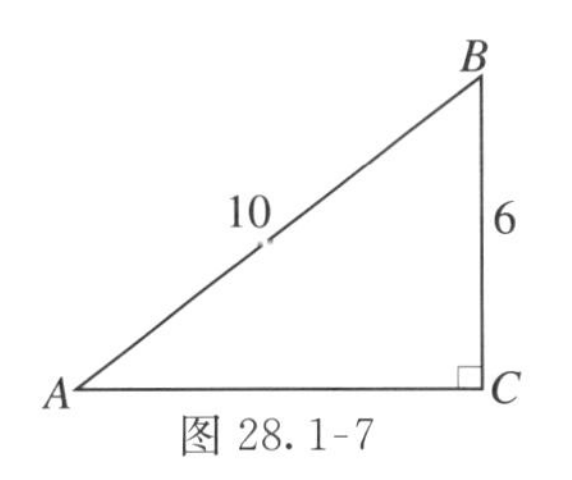

图 28.1-7

解：由勾股定理得

$$AC=\sqrt{AB^2-BC^2}=\sqrt{10^2-6^2}=8,$$

因此 $\sin A=\dfrac{BC}{AB}=\dfrac{6}{10}=\dfrac{3}{5}$，

$$\cos A=\frac{AC}{AB}=\frac{8}{10}=\frac{4}{5},$$

$$\tan A=\frac{BC}{AC}=\frac{6}{8}=\frac{3}{4}.$$

练习

1. 分别求出下列直角三角形中两个锐角的正弦值、余弦值和正切值.

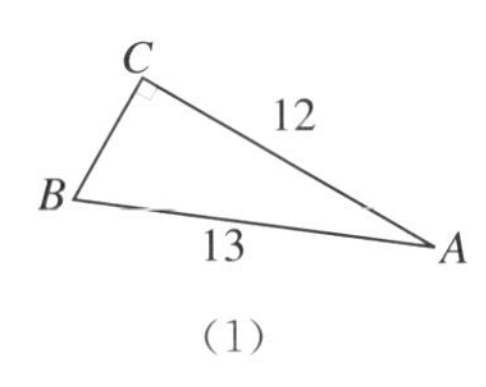

(1)

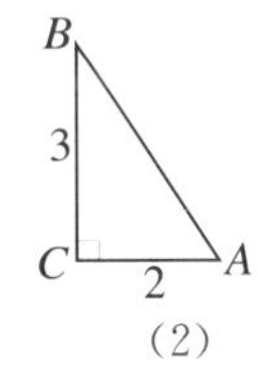

(2)

（第 1 题）

2. 在 Rt$\triangle ABC$ 中，$\angle C=90^{\circ}$. 如果各边长都扩大到原来的 2 倍，那么$\angle A$ 的正弦值、余弦值和正切值有变化吗？说明理由.

探究

两块三角尺（图 28.1-8）中有几个不同的锐角？这几个锐角的正弦值、余弦值和正切值各是多少？

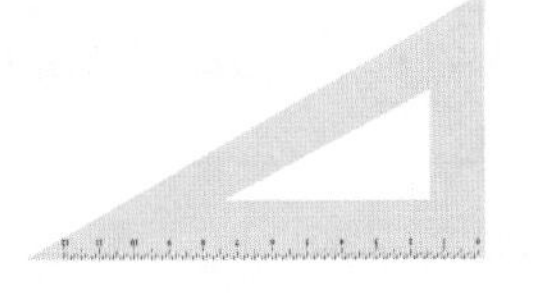

图 28.1-8

30°，45°，60°角的正弦值、余弦值和正切值如下表：

锐角 A / 锐角三角函数	30°	45°	60°
$\sin A$	$\frac{1}{2}$	$\frac{\sqrt{2}}{2}$	$\frac{\sqrt{3}}{2}$
$\cos A$	$\frac{\sqrt{3}}{2}$	$\frac{\sqrt{2}}{2}$	$\frac{1}{2}$
$\tan A$	$\frac{\sqrt{3}}{3}$	1	$\sqrt{3}$

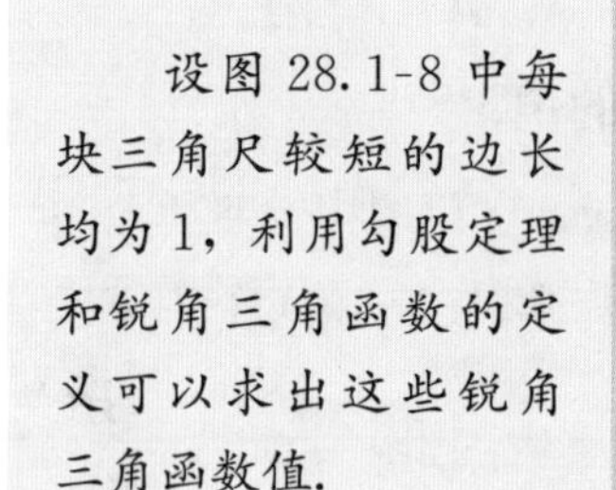

设图 28.1-8 中每块三角尺较短的边长均为 1，利用勾股定理和锐角三角函数的定义可以求出这些锐角三角函数值.

例 3 求下列各式的值：

（1）$\cos^2 60^\circ+\sin^2 60^\circ$；

（2）$\dfrac{\cos 45^\circ}{\sin 45^\circ}-\tan 45^\circ$.

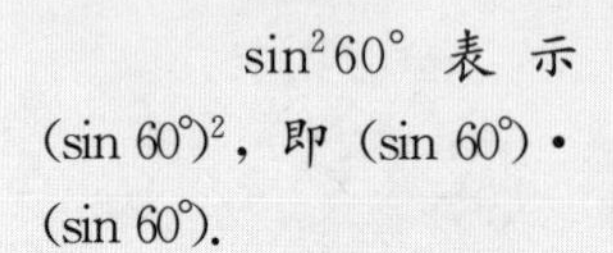

$\sin^2 60^\circ$ 表示 $(\sin 60^\circ)^2$，即 $(\sin 60^\circ)\cdot(\sin 60^\circ)$.

解：（1）

$$\begin{aligned}&\cos^2 60^\circ+\sin^2 60^\circ\\=&\left(\frac{1}{2}\right)^2+\left(\frac{\sqrt{3}}{2}\right)^2\\=&1;\end{aligned}$$

（2）

$$\begin{aligned}&\frac{\cos 45^\circ}{\sin 45^\circ}-\tan 45^\circ\\=&\frac{\sqrt{2}}{2}\div\frac{\sqrt{2}}{2}-1\\=&0.\end{aligned}$$

例 4 （1）如图 28.1-9(1)，在 Rt$\triangle ABC$ 中，$\angle C=90^\circ$，$AB=\sqrt{6}$，$BC=\sqrt{3}$，求$\angle A$ 的度数.

（2）如图 28.1-9(2)，AO 是圆锥的高，OB 是底面半径，$AO=\sqrt{3}OB$，求 α 的度数.

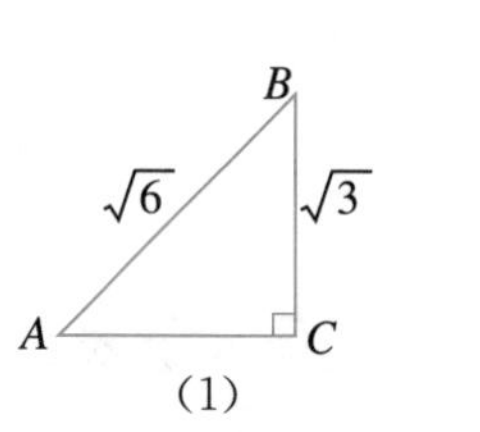

(1)

(2)

图 28.1-9

解：(1) 在图 28.1-9(1) 中，

∵ $\sin A=\frac{BC}{AB}=\frac{\sqrt{3}}{\sqrt{6}}=\frac{\sqrt{2}}{2}$，

∴ $\angle A=45^\circ$.

(2) 在图 28.1-9(2) 中，

∵ $\tan\alpha=\frac{AO}{OB}=\frac{\sqrt{3}OB}{OB}=\sqrt{3}$，

∴ $\alpha=60^\circ$.

当 A，B 均为锐角时，若 $A\neq B$，则
$\sin A\neq\sin B$，
$\cos A\neq\cos B$，
$\tan A\neq\tan B$.

练习

1. 求下列各式的值：
   (1) $1-2\sin 30^\circ\cos 30^\circ$；
   (2) $3\tan 30^\circ-\tan 45^\circ+2\sin 60^\circ$；
   (3) $(\cos^2 30^\circ+\sin^2 30^\circ)\times\tan 60^\circ$.
2. 在 Rt$\triangle ABC$ 中，$\angle C=90^\circ$，$BC=\sqrt{7}$，$AC=\sqrt{21}$，求$\angle A$，$\angle B$ 的度数.

通过上面的学习，我们知道，当锐角 A 是 30°，45°或 60°等特殊角时，可以求得这些特殊角的锐角三角函数值；如果锐角 A 不是这些特殊角，怎样得到它的锐角三角函数值呢？

我们可以借助计算器求锐角三角函数值.

例如求 $\sin 18^\circ$，利用计算器的 sin 键，并输入角度值 18，得到结果$\sin 18^\circ=0.309\ 016\ 994$.

又如求 $\tan 30^\circ36'$，利用 tan 键，并输入角的度、分值（可以使用 °′″ 键），就可以得到结果 0.591 398 351.

因为 $30^\circ36'=30.6^\circ$，所以也可以利用 tan 键，并输入角度值 30.6，同样得到结果 0.591 398 351.

利用计算器求锐角三角函数值，或已知锐角三角函数值求相应锐角的度数时，不同的计算器操作步骤可能有所不同.

如果已知锐角三角函数值，也可以使用计算器求出相应锐角的度数.

例如，已知 $\sin A=0.501\ 8$，用计算器求锐角 A 可以按照下面方法操作：

依次按键 2nd F sin ，然后输入函数值0.501 8，得到 $\angle A=30.119\ 158\ 67°$（这说明锐角 A 精确到 1°的结果为 30°）.

还可以利用 2nd F °′″ 键，进一步得到 $\angle A=30°07'08.97''$（这说明锐角 A 精确到 1′的结果为 30°7′，精确到 1″的结果为 30°7′9″).

练习

1. 用计算器求下列锐角三角函数值：

   (1) $\sin 20°$，$\cos 70°$；

   $\sin 35°$，$\cos 55°$；

   $\sin 15°32'$，$\cos 74°28'$；

   (2) $\tan 3°8'$，$\tan 80°25'43''$.

2. 已知下列锐角三角函数值，用计算器求其相应锐角的度数：

   (1) $\sin A=0.627\ 5$，$\sin B=0.054\ 7$；

   (2) $\cos A=0.625\ 2$，$\cos B=0.165\ 9$；

   (3) $\tan A=4.842\ 5$，$\tan B=0.881\ 6$.

分析第 1(1)题的结果，你能得出什么猜想？你能说明自己的猜想吗？

习题 28.1

复习巩固

1. 分别求出图中 $\angle A$，$\angle B$ 的正弦值、余弦值和正切值.

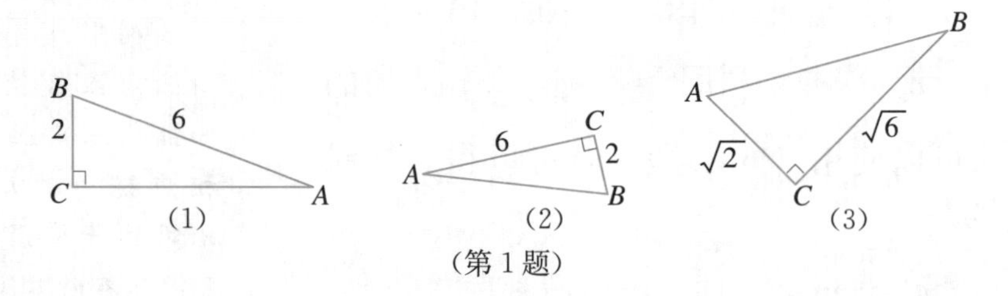

（第 1 题）

2. 在 Rt△ABC 中，$\angle C=90°$. 当 $\angle A$ 确定时，它的正弦值是否随之确定？余弦值呢？正切值呢？为什么？

3. 求下列各式的值：

(1) $\sin 45°+\frac{\sqrt{2}}{2}$；　　(2) $\sin 45°\cos 60°-\cos 45°$；

(3) $\cos^2 45°+\tan 60°\cos 30°$；　　(4) $\frac{1-\cos 30°}{\sin 60°}+\tan 30°$.

4. 用计算器求图中$\angle A$ 的正弦值、余弦值和正切值.

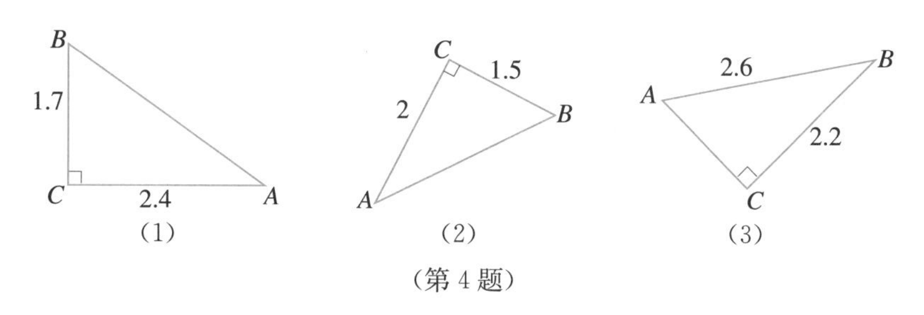

（第 4 题）

5. 已知下列锐角三角函数值，用计算器求锐角 A，B 的度数：

(1) $\sin A=0.7$，$\sin B=0.01$；

(2) $\cos A=0.15$，$\cos B=0.8$；

(3) $\tan A=2.4$，$\tan B=0.5$.

综合运用

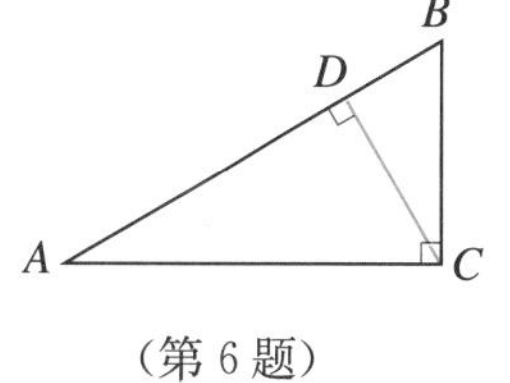

（第 6 题）

6. 如图，在 Rt$\triangle ABC$ 中，CD 是斜边 AB 上的高，$\angle A\neq 45°$，则下列比值中不等于 $\sin A$ 的是（　　）.

(A) $\frac{CD}{AC}$　　(B) $\frac{BD}{CB}$　　(C) $\frac{CB}{AB}$　　(D) $\frac{CD}{CB}$

7. 如图，焊接一个高 3.5 m，底角为 32°的人字形（等腰三角形）钢架，约需多长的钢材（结果保留小数点后两位）?

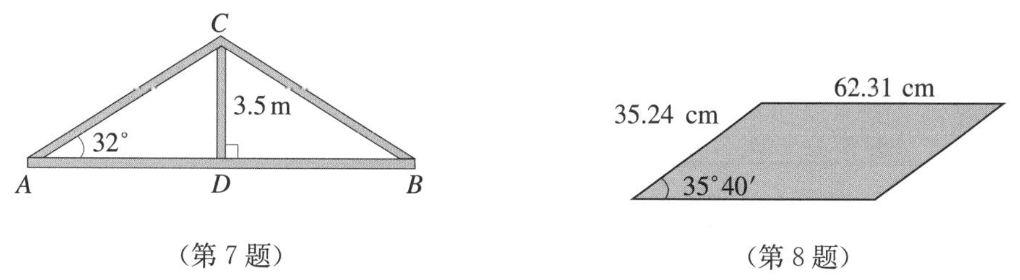

（第 7 题）　　（第 8 题）

8. 如图，一块平行四边形木板的两条邻边的长分别为 62.31 cm 和 35.24 cm，它们的夹角为35°40′，求这块木板的面积（结果保留小数点后两位）.

拓广探索

9. 用计算器求下列锐角三角函数值，并填入表中：

锐角 A	…	15°	18°	20°	22°	…	80°	82°	84°	…
$\sin A$										
$\cos A$										
$\tan A$										

随着锐角 A 的度数不断增大，$\sin A$ 有怎样的变化趋势？$\cos A$ 呢？$\tan A$ 呢？你能说明自己的结论吗？

10. 在 Rt$\triangle ABC$ 中，$\angle C=90°$. $\angle A$ 的正弦、余弦之间有什么关系？（提示：利用锐角三角函数的定义及勾股定理.）

一张古老的“三角函数表”

人们很早就开始研究天文学，以便通过观察天上日月星辰的位置和运行情况，解决有关计时、历法、航海、地理等许多问题. 对天体的观察和测量离不开计算，这促进了数学的发展，三角函数的产生和发展与天文学有密切的关系.

保存至今的一张古老的“三角函数表”，是 2 世纪的希腊天文学家、地理学家、数学家托勒密（Ptolemy）所著的《天文学大成》一书中的一张“弦表”，它对当时的天文计算有重要作用. 这张“弦表”和我们现在所用的正弦、余弦表有所不同，它是把半径为 60（古代巴比伦人采用 60 进制记数，这也影响了希腊人）的圆中度数是 θ 的弧（即圆心角 θ 所对的弧）所对的弦长制成了表，其中 θ 从 $\left(\frac{1}{2}\right)^{\circ}$ 到 180°每隔 $\left(\frac{1}{2}\right)^{\circ}$ 依次取值.

你可能会想，这张“弦表”中的弧、弦长等与锐角三角函数有关吗？

利用我们现在已经学习过的圆和锐角三角函数的知识可知，半径 r、圆心角 θ 及其所对的弦长 l 之间的关系为 $l=2r\sin\frac{\theta}{2}$（图 1），从而 $\sin\frac{\theta}{2}=\frac{l}{2r}$. 可见，当 r 为固定值，θ，l 在表中对应给出时，就可以得到 $\sin\frac{\theta}{2}$ 的值. 因

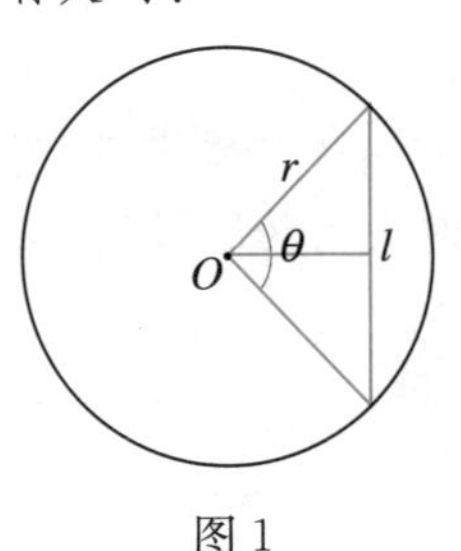

图 1

此，这张“弦表”表面上是由弧的度数 θ 对应弦长 l，实际上隐含了与 θ 对应的 $\sin\frac{\theta}{2}$ 的值. 也就是说，它相当于现在的正弦（$\sin\alpha$）表，其中的角 $\alpha\left(=\frac{\theta}{2}\right)$ 从 $\left(\frac{1}{4}\right)^{\circ}$ 到 90° 每隔 $\left(\frac{1}{4}\right)^{\circ}$ 依次取值.

托勒密在《天文学大成》一书中还介绍了他利用几何方法推导“弦表”的过程，这需要进行许多严密的推理和仔细的计算. 由于当时既没有现成的计算公式，又没有先进的计算工具，所以制作这张“弦表”要付出艰辛的努力. 这张“弦表”极大地促进了三角学在天文测量等应用方面的发展，人们可以直接利用上述计算结果解决有关问题，这带来很多便利，因此托勒密编制“弦表”在数学史上是值得纪念的一大贡献.

托勒密

随着人们对数学研究的不断深入，正弦、余弦、正切等锐角三角函数进一步发展成三角函数，对数的产生极大地提高了三角函数计算速度，微积分的出现又带来利用级数计算三角函数的方法……后来的三角函数表正是在这些成果的基础上的不断改进. 在科学研究、生产实践、军事活动等诸多领域中，这些三角函数表比托勒密编制的“弦表”发挥了大得多的作用，它们成为许多人手中应用极其广泛的计算工具.

28.2 解直角三角形及其应用

28.2.1 解直角三角形

我们回到本章引言提出的比萨斜塔倾斜程度的问题.

1972 年的情形：设塔顶中心点为 B，塔身中心线与垂直中心线的夹角为 $\angle A$，过点 B 向垂直中心线引垂线，垂足为点 C（图 28.2-1）. 在 $\mathrm{Rt}\triangle ABC$ 中，$\angle C=90°$，$BC=5.2\ \mathrm{m}$，$AB=54.5\ \mathrm{m}$，因此

$$\sin A=\frac{BC}{AB}=\frac{5.2}{54.5}\approx 0.0954,$$

利用计算器可得 $\angle A\approx 5°28'$.

类似地，可以求出 2001 年纠偏后塔身中心线与垂直中心线的夹角. 你能求出来吗？

图 28.2-1

如果将上述实际问题抽象为数学问题，就是已知直角三角形的斜边和一条直角边，求它的锐角的度数.

一般地，直角三角形中，除直角外，共有五个元素，即三条边和两个锐角. 由直角三角形中的已知元素，求出其余未知元素的过程，叫做**解直角三角形**.

探究

（1）在直角三角形中，除直角外的五个元素之间有哪些关系？

（2）知道五个元素中的几个，就可以求其余元素？

如图 28.2-2，在 $\mathrm{Rt}\triangle ABC$ 中，$\angle C$ 为直角，$\angle A$，$\angle B$，$\angle C$ 所对的边分别为 a，b，c，那么除直角 $\angle C$ 外的五个元素之间有如下关系：

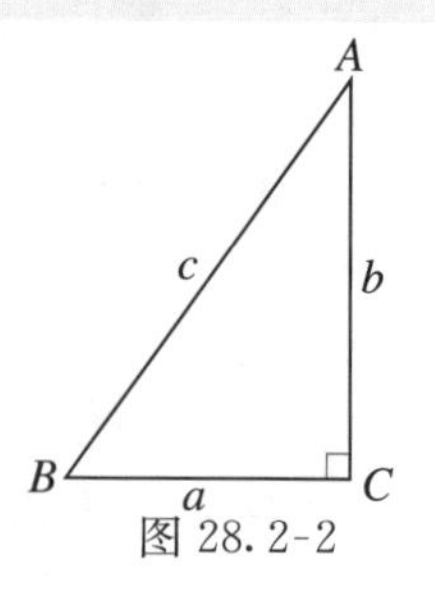

图 28.2-2

（1）三边之间的关系

$$a^2+b^2=c^2\text{（勾股定理）；}$$

（2）两锐角之间的关系

$$\angle A+\angle B=90^\circ;$$

（3）边角之间的关系

$$\sin A=\frac{\angle A\text{ 的对边}}{\text{斜边}}=\frac{a}{c},$$

$$\cos A=\frac{\angle A\text{ 的邻边}}{\text{斜边}}=\frac{b}{c},$$

$$\tan A=\frac{\angle A\text{ 的对边}}{\angle A\text{ 的邻边}}=\frac{a}{b}.$$

上述（3）中的 A 都可以换成 B，同时把 a，b 互换.

利用这些关系，知道其中的两个元素（至少有一个是边），就可以求出其余三个未知元素.

例 1　如图 28.2-3，在 Rt△ABC 中，$\angle C=90^\circ$，$AC=\sqrt{2}$，$BC=\sqrt{6}$，解这个直角三角形.

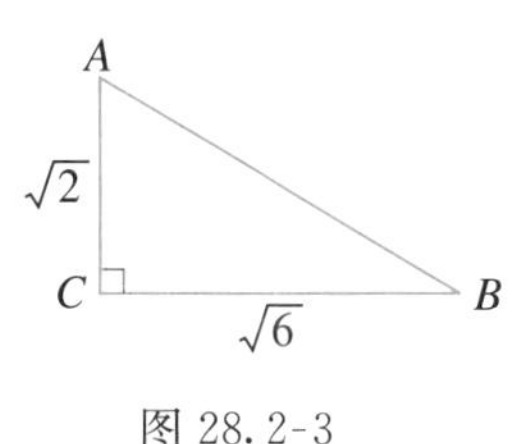

图 28.2-3

解：∵　$\tan A=\dfrac{BC}{AC}=\dfrac{\sqrt{6}}{\sqrt{2}}=\sqrt{3}$，

∴　$\angle A=60^\circ$，

$\angle B=90^\circ-\angle A=90^\circ-60^\circ=30^\circ$，

$AB=2AC=2\sqrt{2}$.

例 2　如图 28.2-4，在 Rt△ABC 中，$\angle C=90^\circ$，$\angle B=35^\circ$，$b=20$，解这个直角三角形（结果保留小数点后一位）.

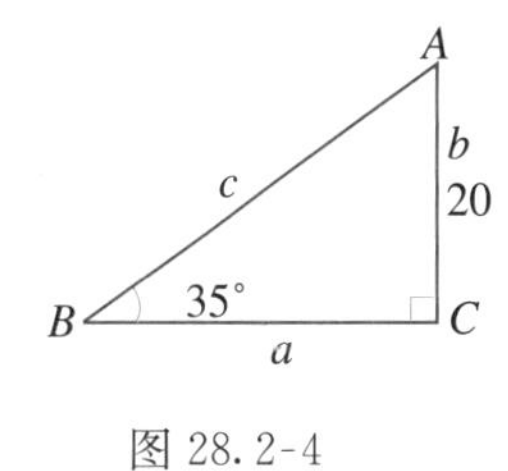

图 28.2-4

解：$\angle A=90^\circ-\angle B=90^\circ-35^\circ=55^\circ$.

∵　$\tan B=\dfrac{b}{a}$，

∴　$a=\dfrac{b}{\tan B}=\dfrac{20}{\tan 35^\circ}\approx 28.6$.

∵　$\sin B=\dfrac{b}{c}$，

∴　$c=\dfrac{b}{\sin B}=\dfrac{20}{\sin 35^\circ}\approx 34.9$.

你还有其他方法求出 c 吗？

练习

在 $\mathrm{Rt}\triangle ABC$ 中，$\angle C=90^\circ$，根据下列条件解直角三角形：

(1) $c=30$，$b=20$；　(2) $\angle B=72^\circ$，$c=14$；　(3) $\angle B=30^\circ$，$a=\sqrt{7}$.

28.2.2 应用举例

解直角三角形的应用非常广泛，下面举一些例子.

例 3 2012 年 6 月 18 日，“神舟”九号载人航天飞船与“天宫”一号目标飞行器成功实现交会对接.“神舟”九号与“天宫”一号的组合体在离地球表面 343 km 的圆形轨道上运行，如图 28.2-5，当组合体运行到地球表面 P 点的正上方时，从中能直接看到的地球表面最远的点在什么位置？最远点与 P 点的距离是多少（地球半径约为6 400 km，π 取 3.142，结果取整数）？

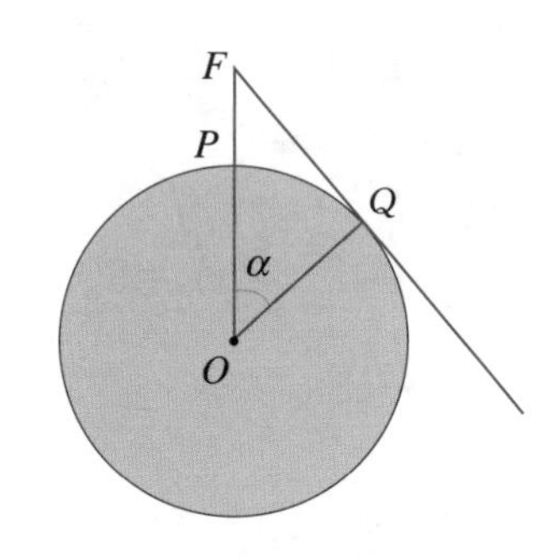

图 28.2-5

分析：从组合体中能直接看到的地球表面最远点，是视线与地球相切时的切点.

如图 28.2-5，本例可以抽象为以地球中心为圆心、地球半径为半径的⊙O 的有关问题：其中点 F 是组合体的位置，FQ 是⊙O 的切线，切点 Q 是从组合体中观测地球时的最远点，$\overset{\frown}{PQ}$的长就是地球表面上 P，Q 两点间的距离. 为计算$\overset{\frown}{PQ}$的长需先求出$\angle POQ$（即 α）的度数.

> 在解决例 3 的问题时，我们综合运用了圆和解直角三角形的知识.

解：设$\angle POQ=\alpha$，在图 28.2-5 中，FQ 是

$\odot O$ 的切线，$\triangle FOQ$ 是直角三角形.

$\because$ $\cos\alpha=\frac{OQ}{OF}=\frac{6\ 400}{6\ 400+343}\approx 0.949\ 1$，

$\therefore$ $\alpha\approx 18.36°$.

$\therefore$ $\overset{\frown}{PQ}$的长为

$$\frac{18.36\pi}{180}\times 6\ 400\approx\frac{18.36\times 3.142}{180}\times 6\ 400\approx 2\ 051(\text{km}).$$

由此可知，当组合体在 P 点正上方时，从中观测地球表面时的最远点距离 P 点约 2 051 km.

例 4　热气球的探测器显示，从热气球看一栋楼顶部的仰角为 30°，看这栋楼底部的俯角为 60°，热气球与楼的水平距离为 120 m，这栋楼有多高（结果取整数)?

分析：我们知道，在视线与水平线所成的角中，视线在水平线上方的是仰角，视线在水平线下方的是俯角. 因此，在图 28.2-6 中，$\alpha=30°$，$\beta=60°$.

在 $\text{Rt}\triangle ABD$ 中，$\alpha=30°$，$AD=120$，所以可以利用解直角三角形的知识求出 BD；类似地可以求出 CD，进而求出 BC.

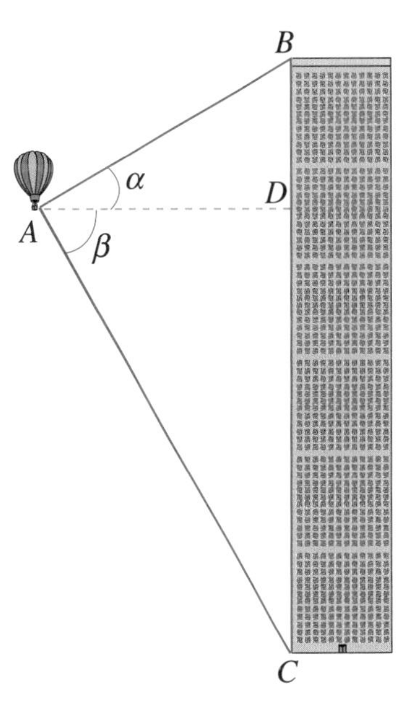

图 28.2-6

解：如图 28.2-6，$\alpha=30°$，$\beta=60°$，$AD=120$.

$\because$ $\tan\alpha=\frac{BD}{AD}$，$\tan\beta=\frac{CD}{AD}$，

$\therefore$ $BD=AD\cdot\tan\alpha=120\times\tan 30°$

$=120\times\frac{\sqrt{3}}{3}=40\sqrt{3}$，

$CD=AD\cdot\tan\beta=120\times\tan 60°$

$=120\times\sqrt{3}=120\sqrt{3}$.

$\therefore$ $BC=BD+CD=40\sqrt{3}+120\sqrt{3}$

$=160\sqrt{3}\approx 277(\text{m})$.

因此，这栋楼高约为 277 m.

练习

1. 如图，建筑物 BC 上有一旗杆 AB，从与 BC 相距 40 m 的 D 处观测旗杆顶部 A 的仰角为 50°，观测旗杆底部 B 的仰角为 45°，求旗杆的高度（结果保留小数点后一位）.

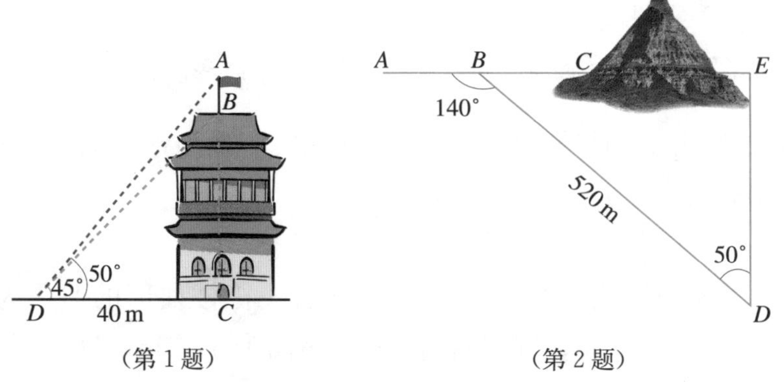

（第 1 题）　　（第 2 题）

2. 如图，沿 AC 方向开山修路. 为了加快施工进度，要在小山的另一边同时施工. 从 AC 上的一点 B 取 $\angle ABD=140°$，$BD=520$ m，$\angle D=50°$. 那么另一边开挖点 E 离 D 多远正好使 A，C，E 三点在一直线上（结果保留小数点后一位）？

例 5　如图 28.2-7，一艘海轮位于灯塔 P 的北偏东 65°方向，距离灯塔 80 n mile 的 A 处，它沿正南方向航行一段时间后，到达位于灯塔 P 的南偏东 34°方向上的 B 处. 这时，B 处距离灯塔 P 有多远（结果取整数）？

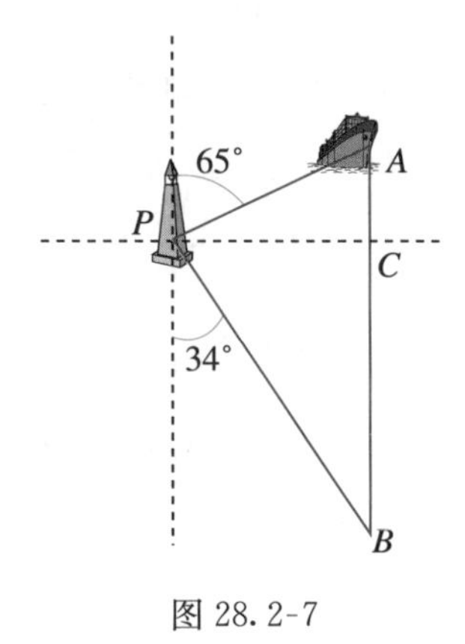

图 28.2-7

解： 如图 28.2-7，在 Rt$\triangle APC$ 中，

$$PC=PA\cdot\cos(90°-65°)$$
$$=80\times\cos 25°$$
$$\approx 72.505.$$

在 Rt$\triangle BPC$ 中，$\angle B=34°$，

$\because\quad \sin B=\dfrac{PC}{PB}$，

$\therefore\quad PB=\dfrac{PC}{\sin B}=\dfrac{72.505}{\sin 34°}\approx 130$(n mile)．

因此，当海轮到达位于灯塔 P 的南偏东 34°方向时，它距离灯塔 P 大约 130 n mile.

归纳

利用解直角三角形的知识解决实际问题的一般过程是：

（1）将实际问题抽象为数学问题（画出平面图形，转化为解直角三角形的问题）；

（2）根据问题中的条件，适当选用锐角三角函数等解直角三角形；

（3）得到数学问题的答案；

（4）得到实际问题的答案.

练习

1. 如图，海中有一个小岛 A，它周围 8 n mile 内有暗礁. 渔船跟踪鱼群由西向东航行，在 B 点测得小岛 A 在北偏东 $60°$ 方向上，航行 12 n mile 到达 D 点，这时测得小岛 A 在北偏东 $30°$ 方向上. 如果渔船不改变航线继续向东航行，有没有触礁的危险？

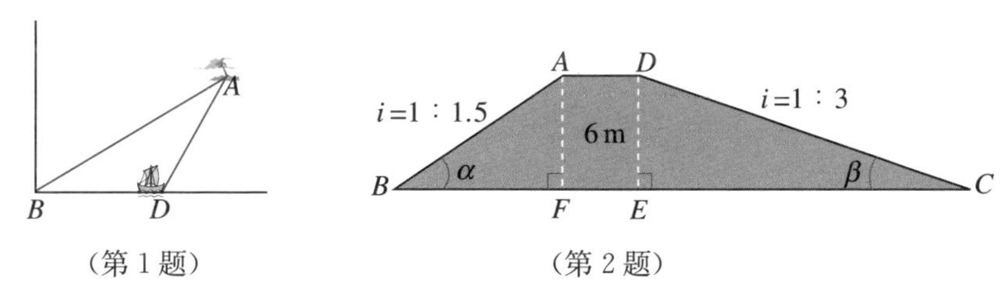

（第 1 题）　　　　（第 2 题）

2. 如图，拦水坝的横断面为梯形 $ABCD$，$AF=DE=6$ m. 斜面坡度 $i=1:1.5$ 是指坡面的铅直高度 AF 与水平宽度 BF 的比，斜面坡度 $i=1:3$ 是指 DE 与 CE 的比. 根据图中数据，求：

（1）坡角 α 和 β 的度数；

（2）斜坡 AB 的长（结果保留小数点后一位）.

习题 28.2

复习巩固

1. 在 $\mathrm{Rt}\triangle ABC$ 中，$\angle C=90°$，根据下列条件解直角三角形：

（1）$c=8$，$\angle A=30°$；

（2）$b=7$，$\angle A=15°$；

（3）$a=5$，$b=12$.

2. 如图，厂房屋顶人字架（等腰三角形）的跨度 $BC=10$ m，$\angle B=36^\circ$，求中柱 AD（D 为底边中点）和上弦 AB 的长（结果保留小数点后一位）.

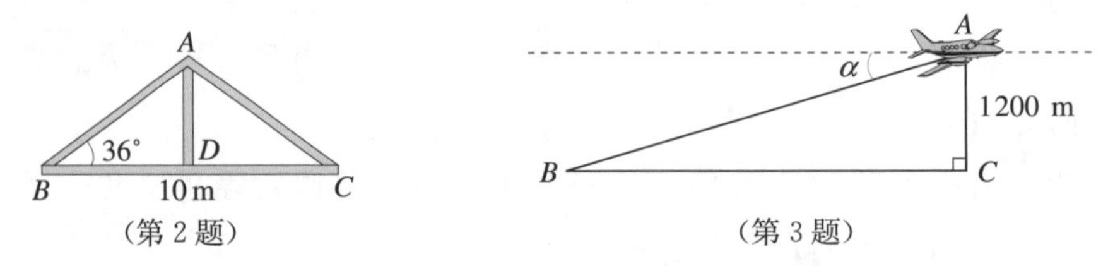

（第 2 题）　　（第 3 题）

3. 如图，某飞机于空中 A 处探测到目标 C，此时飞行高度 $AC=1\,200$ m，从飞机上看地平面指挥台 B 的俯角 $\alpha=16^\circ31'$.求飞机 A 与指挥台 B 的距离（结果取整数).

4. 从高出海平面 55 m 的灯塔处收到一艘帆船的求助信号，从灯塔看帆船的俯角为 21°，此时帆船距灯塔有多远（结果取整数)？

5. 如图，在山坡上种树，要求株距（相邻两树间的水平距离）是 5.5 m. 测得斜坡的倾斜角是 24°，求斜坡上相邻两树间的坡面距离（结果保留小数点后一位).

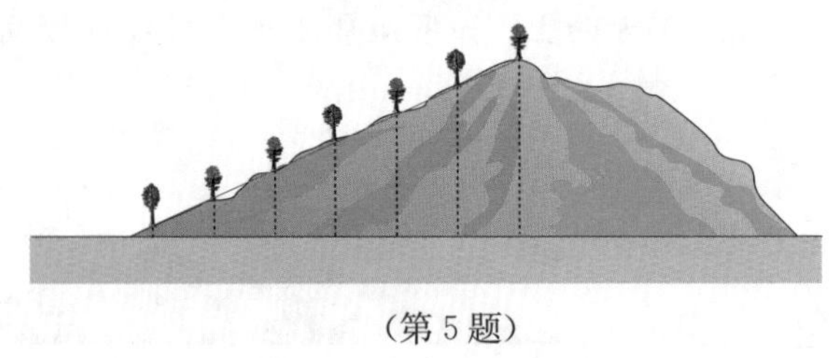
（第 5 题）

综合运用

6. 在 Rt$\triangle ABC$ 中，$\angle C=90^\circ$.

   (1) 已知$\angle A$，c，写出解 Rt$\triangle ABC$ 的过程；

   (2) 已知$\angle A$，a，写出解 Rt$\triangle ABC$ 的过程；

   (3) 已知 a，c，写出解 Rt$\triangle ABC$ 的过程.

7. 如图，一座金字塔被发现时，顶部已经荡然无存，但底部未曾受损. 已知该金字塔的下底面是一个边长为 130 m 的正方形，且每一个侧面与底面成 65° 角，这座金字塔原来有多高（结果取整数)？

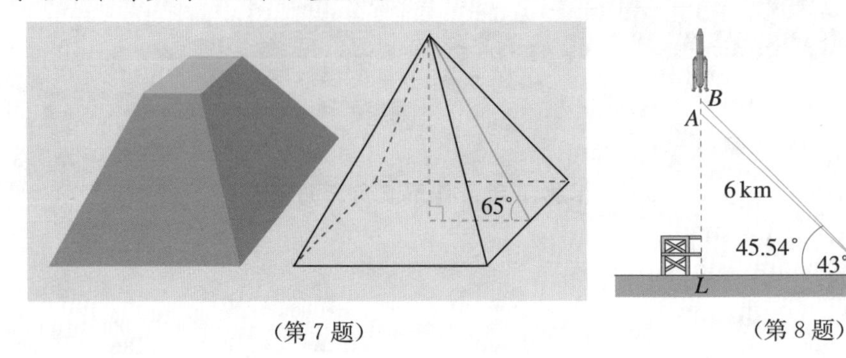

（第 7 题）　　（第 8 题）

8. 如图，一枚运载火箭从地面 L 处发射. 当火箭到达 A 点时，从位于地面 R 处的雷达站测得 AR 的距离是 6 km，仰角为 43°；1 s 后火箭到达 B 点，此时测得仰角为 45.54°. 这枚火箭从 A 到 B 的平均速度是多少（结果取小数点后两位）？

9. 为方便行人横过马路，打算修建一座高 5 m 的过街天桥. 已知天桥的斜面坡度为 1∶1.5，计算斜坡 AB 的长度（结果取整数）.

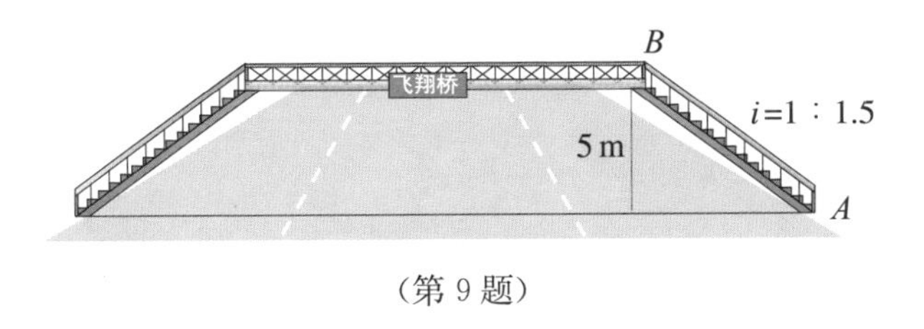

（第 9 题）

拓广探索

10. 海中有一小岛 P，在以 P 为圆心、半径为 $16\sqrt{2}$ n mile 的圆形海域内有暗礁. 一轮船自西向东航行，它在 A 处时测得小岛 P 位于北偏东 60°方向上，且 A，P 之间的距离为 32 n mile. 若轮船继续向正东方向航行，轮船有无触礁危险？请通过计算加以说明. 如果有危险，轮船自 A 处开始沿南偏东多少度的方向航行，能安全通过这一海域？

11. 根据图中标出的百慕大三角的位置，计算百慕大三角的面积（结果取整数）.（提示：它的面积等于一个梯形的面积减去两个直角三角形的面积.）

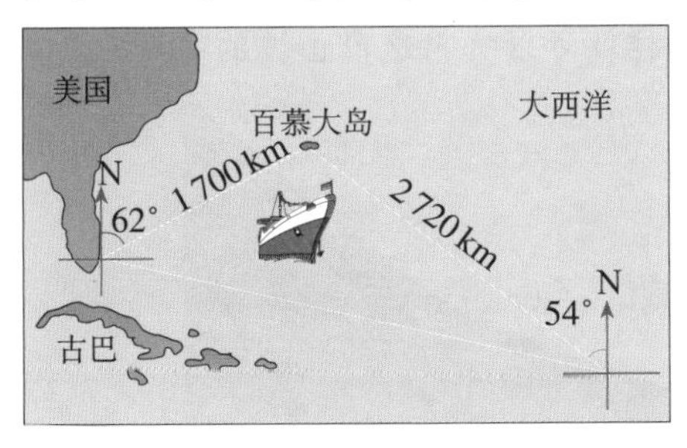

（第 11 题）

多年来，很多船只、飞机都在大西洋的一个区域内神秘失踪，这个区域称为百慕大三角. 直至现在，人们仍未能破解这个秘密.

山坡的高度

当我们要测量如图 1 所示大坝的高度 h 时，只要测出坡角 α 和大坝的坡面长度 l，就能算出 $h=l\sin\alpha$. 但是，当我们要测量如图 2 所示的山高 h 时，问题就不那么简单了.

图 1　　　　图 2

比较这两个测量问题，你想到了什么？

在测量大坝的高度时，由于坝坡、坝高与水平线构成直角三角形，因此解直角三角形可得坝高. 与测量坝高相比，测量山高的困难在于，山坡是“曲”的，问题不能简单地归结为解一个直角三角形. 如果能把“曲”转化为“直”，就可能解决问题.

我们设法“化曲为直，以直代曲”. 我们可以把山坡“化整为零”地划分为一些小段，图 3 表示其中一部分小段. 划分小段时，注意使每一小段上的山坡近似是“直”的，可以量出这段坡长 l_i，测出相应的坡角 α_i，这样就可以算出这段山坡的高度 $h_i=l_i\sin\alpha_i$.

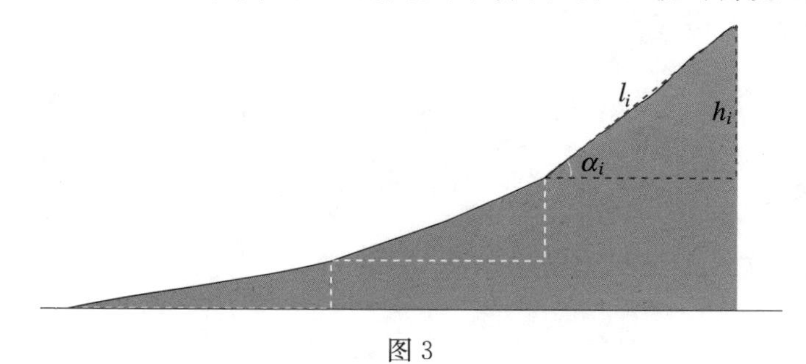

图 3

在每个小段上，我们都构造出直角三角形，利用上面的方法分别算出各段山坡的高度 h_1，h_2，…，h_n，然后我们“积零为整”，把 h_1，h_2，…，h_n 相加，于是得到山高 h.

以上解决问题中所用的“先化整为零，又积零为整”“化曲为直，以直代曲”的做法，体现了微积分的基本思想. 它在数学中有重要地位，今后的学习中你会更多地了解这方面的内容.

数学活动

活动1 制作测角仪，测量树的高度

（1）把一根细线固定在半圆形量角器的圆心处，细线的另一端系一个小重物，制成一个简单的测角仪，利用它可以测量仰角或俯角（图 1）；

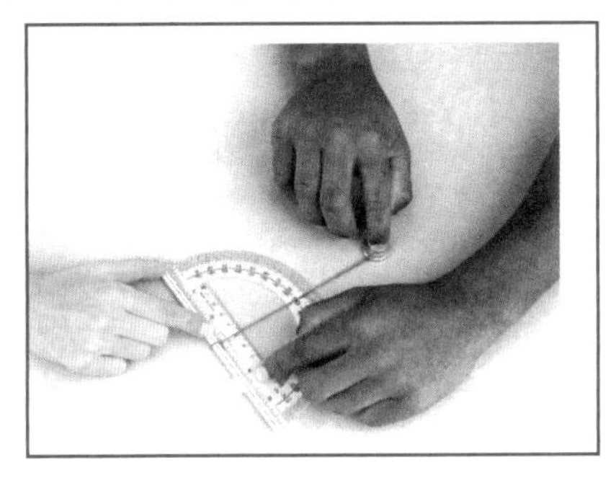

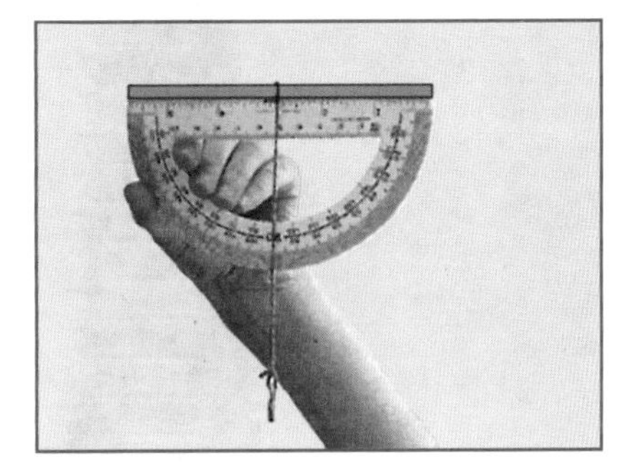

图 1

（2）将这个仪器用手托起，拿到眼前，使视线沿着仪器的直径刚好到达树的最高点（图 2）；

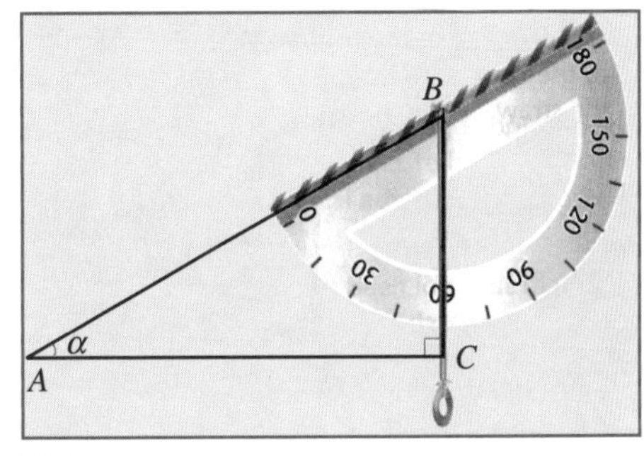

图 2

（3）得出仰角 α 的度数；

（4）测出你到树的底部的距离；

（5）计算这棵树的高度.

活动2 利用测角仪测量塔高

（1）在塔前的平地上选择一点 A，用活动 1 中制作的测角仪测出你看塔顶的仰角 α（图 3）；

（2）在 A 点和塔之间选择一点 B，测出你由 B 点看塔顶的仰角 β；

(3) 量出 A，B 两点间的距离；

(4) 计算塔的高度.

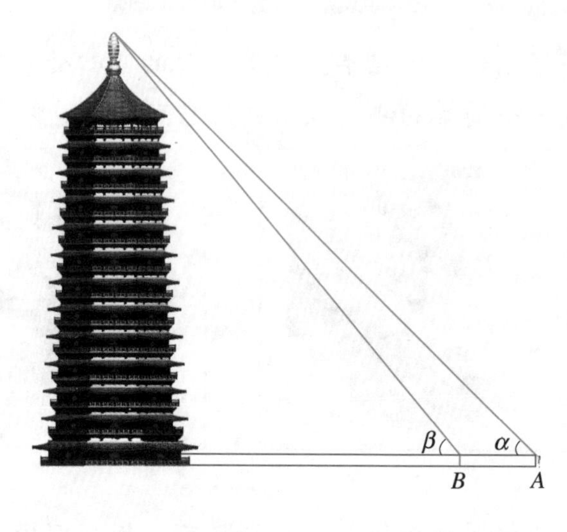

图 3

小 结

一、本章知识结构图

二、回顾与思考

本章我们学习了锐角三角函数，它反映了直角三角形中边角之间的关系．即无论 Rt$\triangle ABC$ 的大小如何，只要给定锐角 A，则$\angle A$ 的对边与斜边、邻边与斜边、对边与邻边的比就随之确定，由此定义了锐角三角函数．利用这一关系，结合勾股定理等，就可以解决各种与直角三角形度量有关的问题．

由直角三角形全等的判定定理可知，一个直角三角形可以由它的三条边和两个锐角这五个元素中的两个（其中至少有一个是边）唯一确定．有了锐角三角函数知识，结合直角三角形的两个锐角互余及勾股定理，就可由这两个元素的大小求出其他元素的大小，这就是解直角三角形．由此可见，关注各部分内容之间的联系，对我们更深入地理解相关知识，提高灵活应用知识的能力等都很有帮助．

请你带着下面的问题，复习一下全章的内容吧．

1．锐角三角函数是如何定义的？总结锐角三角函数的定义过程，并写出直角三角形中两个锐角的三角函数．

2．两个直角三角形全等要具备什么条件？为什么在直角三角形中，已知一条边和一个锐角，或两条边，就能解这个直角三角形？

3．你能根据不同的已知条件（例如，已知斜边和一个锐角），归纳相应的解直角三角形的方法吗？

4．锐角三角函数在实践中有广泛的应用，你能举例说明这种应用吗？

复习题 28

复习巩固

1. 在 Rt$\triangle ABC$ 中，$\angle C=90°$，$a=2$，$c=6$，求 $\sin A$，$\cos A$ 和 $\tan A$ 的值.

2. 在$\triangle ABC$ 中，$\angle C=90°$，$\cos A=\frac{\sqrt{3}}{2}$，$AC=4\sqrt{3}$，求 BC 的长.

3. 求下列各式的值：

(1) $\sqrt{2}\cos 45°-\tan 45°$；　　(2) $\sqrt{3}\sin 60°+\tan 60°-2\cos^2 30°$.

4. 用计算器求下列各式的值：

(1) $\cos 76°39'+\sin 17°52'$；　　(2) $\sin 57°18'-\tan 22°30'$；

(3) $\tan 83°6'-\cos 4°59'$；　　(4) $\tan 12°30'-\sin 15°$.

5. 已知下列锐角的三角函数值，用计算器求锐角 A 的度数：

(1) $\cos A=0.765\ 1$；　　(2) $\sin A=0.934\ 3$；

(3) $\tan A=35.26$；　　(4) $\tan A=0.707$.

6. 等腰三角形的底角是 30°，腰长为 $2\sqrt{3}$，求它的周长.

7. 从一艘船上测得海岸上高为 42 m 的灯塔顶部的仰角为 33°时，船离海岸多远（结果取整数）？

综合运用

8. 如图，两座建筑物的水平距离 BC 为 32.6 m，从 A 点测得 D 点的俯角 α 为 35°12′，测得 C 点的俯角 β 为 43°24′，求这两座建筑物的高度（结果保留小数点后一位）.

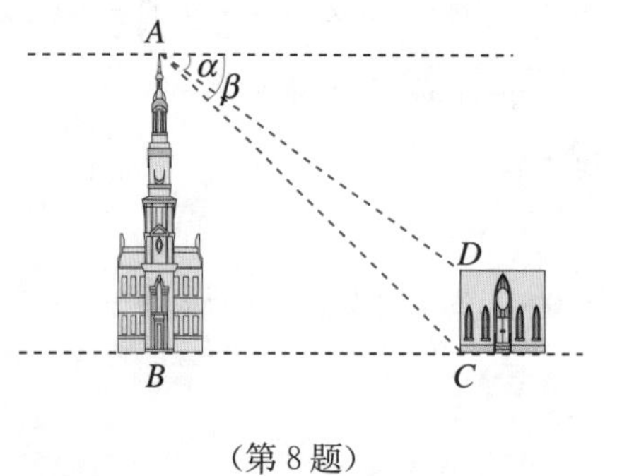

（第 8 题）

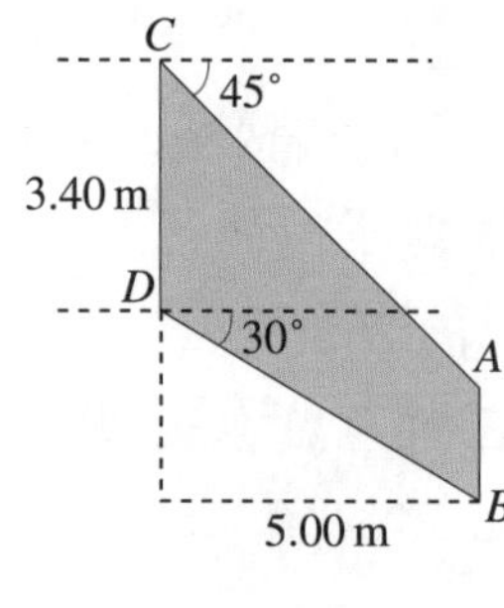

（第 9 题）

9. 某型号飞机的机翼形状如图所示，根据图中数据计算 AC，BD 和 AB 的长度（结果保留小数点后两位）.

10. 如图，要想使人安全地攀上斜靠在墙面上的梯子的顶端，梯子与地面所成的角 α 一般要满足 $50°\leqslant\alpha\leqslant 75°$. 现有一架长 6 m 的梯子.

(1) 使用这架梯子最高可以安全攀上多高的墙（结果保留小数点后一位）？

（2）当梯子底端距离墙面 2.4 m 时，α 等于多少度（结果取整数）？此时人是否能够安全使用这架梯子？

（第 10 题）

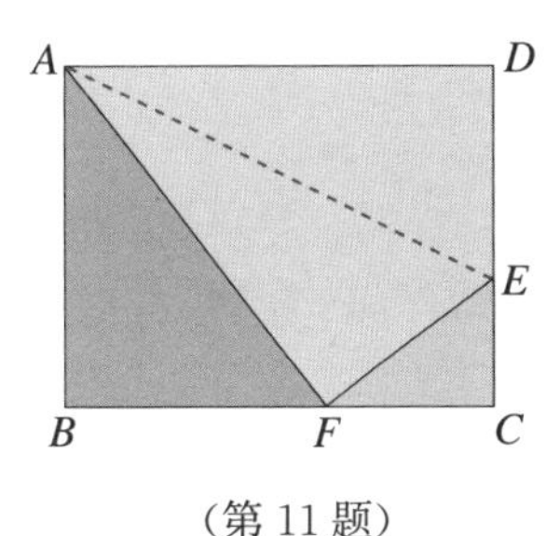

（第 11 题）

11. 如图，折叠矩形 $ABCD$ 的一边 AD，使点 D 落在 BC 边的点 F 处. 已知折痕 $AE=5\sqrt{5}$ cm，且 $\tan\angle EFC=\dfrac{3}{4}$.

（1）$\triangle AFB$ 与 $\triangle FEC$ 有什么关系？

（2）求矩形 $ABCD$ 的周长.

12. $\square ABCD$ 中，已知 AB，BC 及其夹角 $\angle B$（$\angle B$ 是锐角），能求出 $\square ABCD$ 的面积 S 吗？如果能，用 AB，BC 及其夹角 $\angle B$ 表示 S.

拓广探索

13. 已知圆的半径为 R.

（1）求这个圆的内接正 n 边形的周长和面积；

（2）利用（1）的结果填写下表：

内接正 n 边形	正六边形	正十二边形	正二十四边形	…
内接正 n 边形的周长				
内接正 n 边形的面积				

观察上表，随着圆内接正多边形边数的增加，正多边形的周长（面积）有怎样的变化趋势？与圆的周长（面积）进行比较，你能得出什么结论？

14. 如图，在锐角 $\triangle ABC$ 中，探究 $\dfrac{a}{\sin A}$，$\dfrac{b}{\sin B}$，$\dfrac{c}{\sin C}$ 之间的关系.（提示：分别作 AB 和 BC 边上的高.）

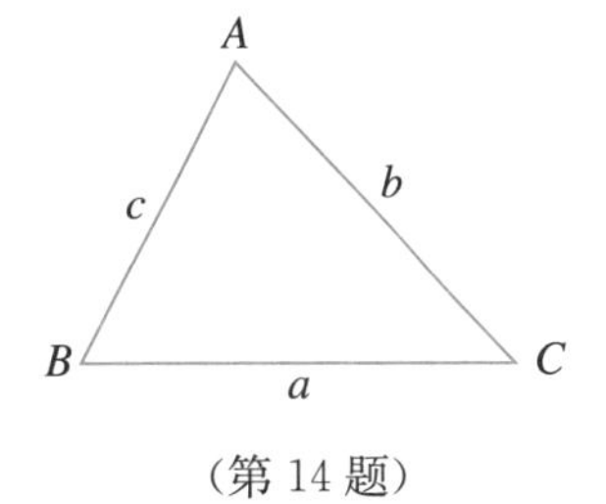

（第 14 题）

第二十九章　投影与视图

你注意观察过周围物体在日光或灯光下的影子吗？影子和物体有着怎样的联系呢？人们从光线照射物体会产生影子得到启发，得出了投影的有关知识，并用这些知识来绘制视图．在生产实践中，制造机器，建筑高楼，设计火箭……无一不和视图密切相关．

本章我们将学习投影的有关知识，并借助投影原理认识视图，再进一步讨论：如何由立体图形画出三视图？如何由三视图想象出立体图形？通过本章的学习，同学们会进一步提高对空间图形的认识．

29.1 投影

物体在日光或灯光的照射下，会在地面、墙壁等处形成影子（图 29.1-1）. 影子既与物体的形状有关，也与光线的照射方式有关.

图 29.1-1

一般地，用光线照射物体，在某个平面（地面、墙壁等）上得到的影子叫做物体的投影（projection），照射光线叫做投影线，投影所在的平面叫做投影面.

有时光线是一组互相平行的射线，例如探照灯中的光线（图 29.1-2）. 太阳离我们非常远，射到地面的太阳光也可以看成一组互相平行的射线. 由平行光线形成的投影叫做平行投影（parallel projection）. 例如，物体在太阳光的照射下形成的影子（简称日影）就是平行投影. 日影的方向可以反映当地时间，我国古代的计时器日晷（图 29.1-3），就是根据日影来观测时间的.

图 29.1-2

图 29.1-3

日晷是利用日影计时的仪器，通常由铜制的指针和石制的带有刻度的圆盘组成. 用针影落在刻度盘的不同位置表示一天中不同的时刻.

由同一点（点光源）发出的光线形成的投影叫做**中心投影**（center projection）. 例如，物体在灯泡发出的光照射下形成的影子（图 29.1-4）就是中心投影.

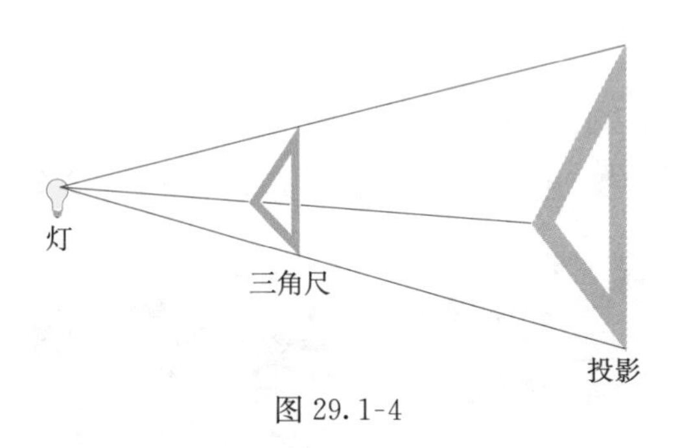

图 29.1-4

练习

把下列物体与它们的投影用线连接起来.

思考

图 29.1-5 表示一块三角尺在光线照射下形成投影，其中图（1）与图（2）（3）的投影线有什么区别？图（2）（3）的投影线与投影面的位置关系有什么区别？

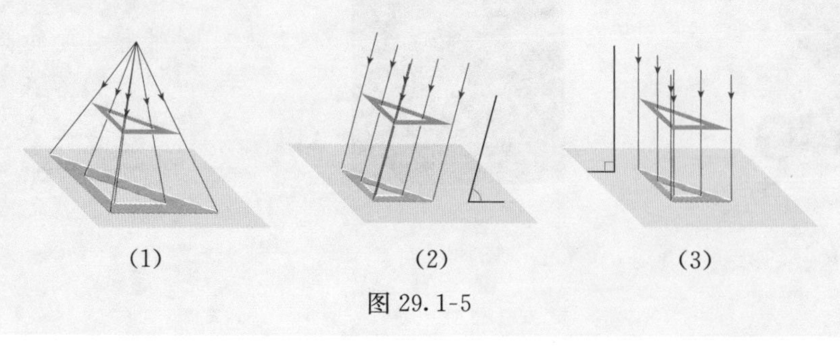

图 29.1-5

图 29.1-5 中，图（1）中的投影线集中于一点，形成中心投影；图（2）（3）中，投影线互相平行，形成平行投影. 图（2）中，投影线斜着照射投影面；图（3）中投影线垂直照射投影面（即投影线正对着投影面），我们也称这种情形为投影线垂直于投影面. 像图（3）这样，投影线垂直于投影面产生的投影叫做正投影.

在实际制图中，经常应用正投影.

探究

如图 29.1-6，把一根直的细铁丝（记为线段 AB）放在三个不同位置：

（1）铁丝平行于投影面；

（2）铁丝倾斜于投影面；

（3）铁丝垂直于投影面（铁丝不一定要与投影面有交点）.

三种情形下铁丝的正投影各是什么形状？

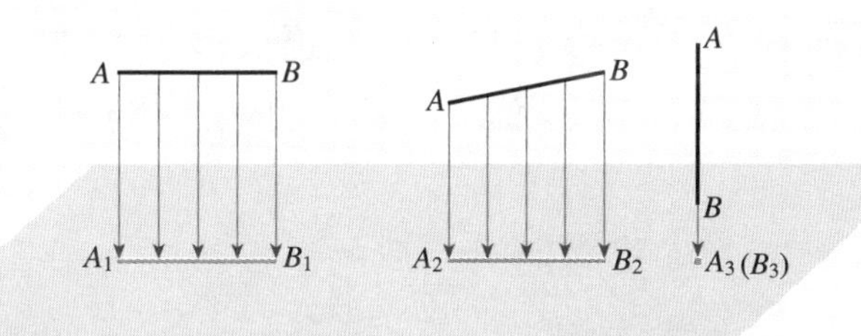

图 29.1-6

通过观察、测量可知：

（1）当线段 AB 平行于投影面时，它的正投影是线段 A_1B_1，它们的大小关系为 $AB=A_1B_1$；

（2）当线段 AB 倾斜于投影面时，它的正投影是线段 A_2B_2，它们的大小关系为 $AB>A_2B_2$；

（3）当线段 AB 垂直于投影面时，它的正投影是一个点 A_3.

探究

如图 29.1-7，把一块正方形硬纸板 P（记为正方形 $ABCD$）放在三个不同位置：

(1) 纸板平行于投影面；

(2) 纸板倾斜于投影面；

(3) 纸板垂直于投影面.

三种情形下纸板的正投影各是什么形状？

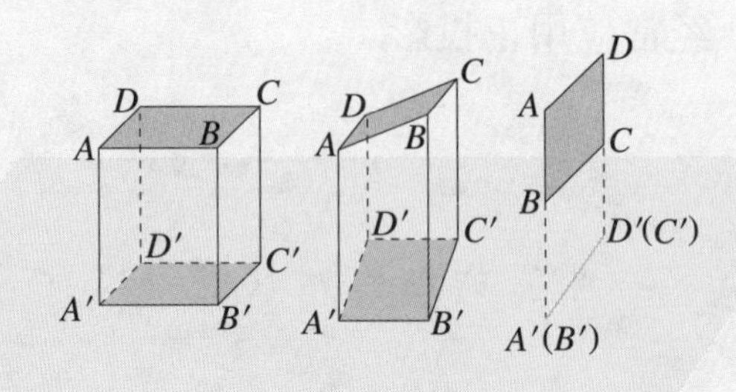

图 29.1-7

通过观察、测量可知：

(1) 当纸板 P 平行于投影面时，P 的正投影与 P 的形状、大小一样；

(2) 当纸板 P 倾斜于投影面时，P 的正投影与 P 的形状、大小不完全一样；

(3) 当纸板 P 垂直于投影面时，P 的正投影成为一条线段.

归纳

当物体的某个面平行于投影面时，这个面的正投影与这个面的形状、大小完全相同.

例　画出如图 29.1-8 摆放的正方体在投影面上的正投影.

(1) 正方体的一个面 $ABCD$ 平行于投影面（图 29.1-8(1)）；

(2) 正方体的一个面 $ABCD$ 倾斜于投影面，底面 $ADEF$ 垂直于投影面，并且其对角线 AE 垂直于投影面（图 29.1-8(2)）.

不妨用一个盒子作为模型，观察它在墙壁上的投影.

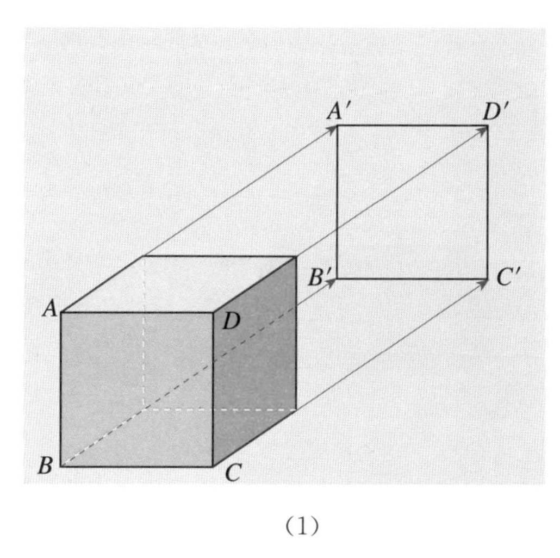

(1)

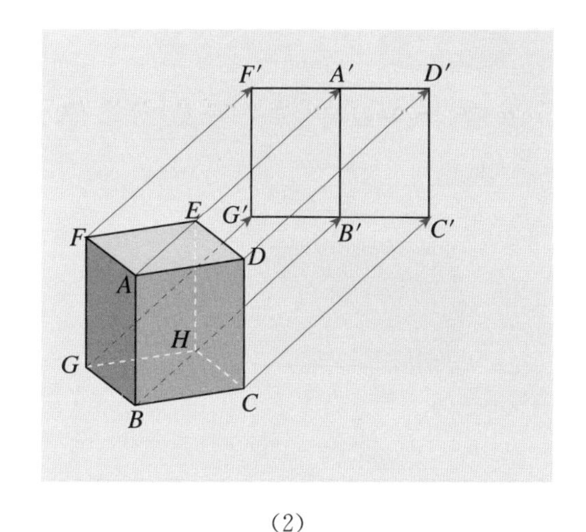

(2)

图 29.1-8

分析：(1) 当正方体在如图 29.1-8(1) 的位置时，正方体的一个面 $ABCD$ 及与其相对的另一面与投影面平行，这两个面的正投影是与正方体的一个面的形状、大小完全相同的正方形 $A'B'C'D'$. 正方形$A'B'C'D'$的四条边分别是正方体其余四个面（这些面垂直于投影面）的投影. 因此，正方体的正投影是一个正方形.

(2) 当正方体在如图 29.1-8(2) 的位置时，它的面 $ABCD$ 和面 $ABGF$ 倾斜于投影面，它们的投影分别是矩形 $A'B'C'D'$ 和 $A'B'G'F'$；正方体其余两个侧面的投影也分别是上述矩形；上、下底面的投影分别是线段 $D'F'$ 和 $C'G'$. 因此，正方体的投影是矩形$F'G'C'D'$，其中线段 $A'B'$ 把矩形一分为二.

解：(1) 如图 29.1-8(1)，正方体的正投影为正方形 $A'B'C'D'$，它与正方体的一个面是全等关系.

(2) 如图 29.1-8(2)，正方体的正投影为矩形$F'G'C'D'$，这个矩形的长等于正方体的底面对角线长，矩形的宽等于正方体的棱长. 矩形上、下两边中点连线$A'B'$是正方体的侧棱 AB 及它所对的另一条侧棱 EH 的投影.

物体正投影的形状、大小与它相对于投影面的位置有关.

练习

如图，投影线的方向如箭头所示，画出圆柱体的正投影.

(1) (2)

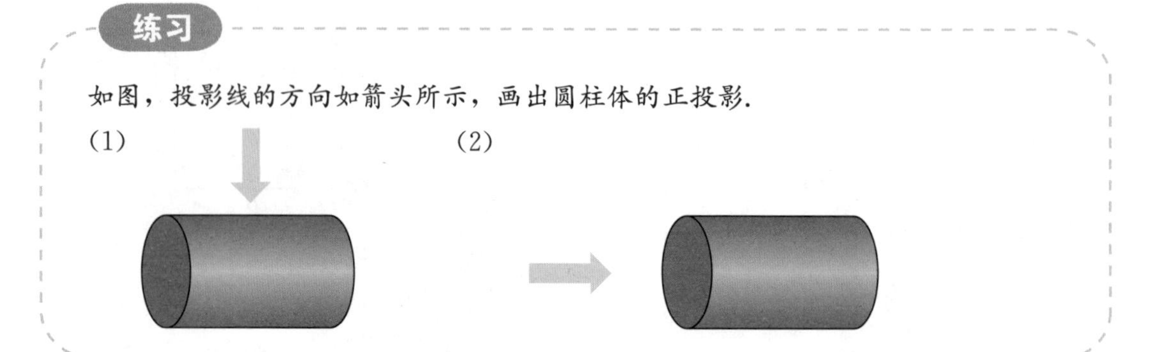

习题 29.1

复习巩固

1. 小华在不同时间于天安门前拍了几幅照片，下面哪幅照片是在下午拍摄的？

天安门是坐北朝南的建筑.

(第 1 题)

2. 请用线把图中各物体与它们的投影连接起来.

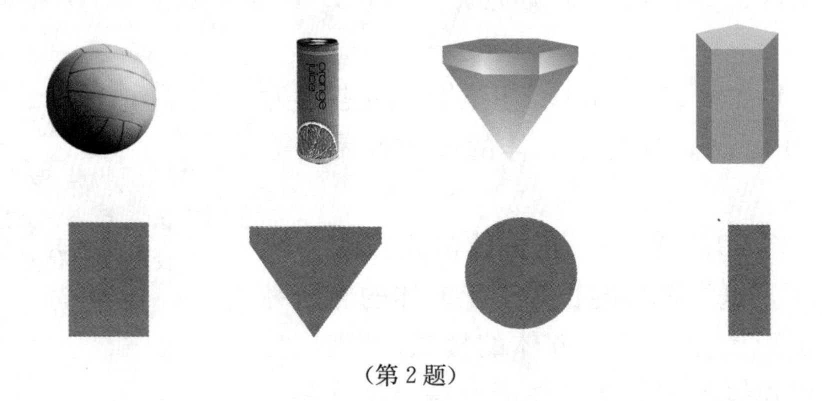

(第 2 题)

综合运用

3. 如图，右边的正五边形是光线由上到下照射一个正五棱柱（正棱柱的上、下底面都是正多边形，并且侧棱垂直于底面）时的正投影，你能指出这时正五棱柱的各个面的正投影分别是什么吗？

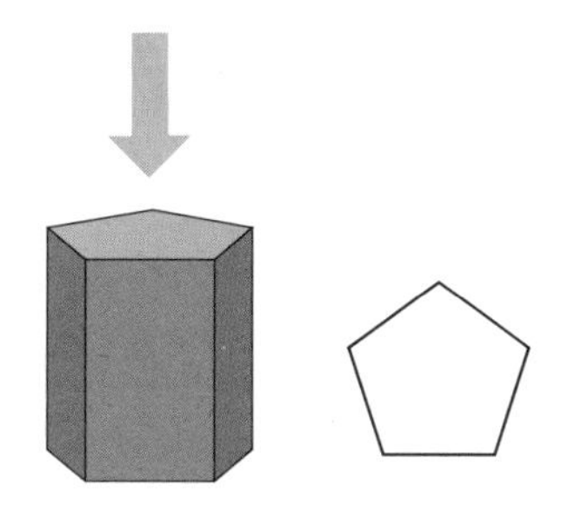

（第 3 题）

4. 一个圆锥的轴截面平行于投影面，圆锥的正投影是边长为 3 的等边三角形，求圆锥的体积和表面积.

拓广探索

5. 画出如图摆放的物体（正六棱柱）的正投影：

（1）投影线由物体前方照射到后方；

（2）投影线由物体左方照射到右方；

（3）投影线由物体上方照射到下方.

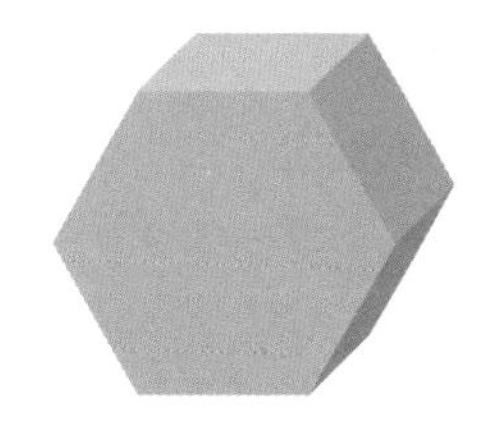

（第 5 题）

29.2 三视图

当我们从某一方向观察一个物体时，所看到的平面图形叫做物体的一个视图（view）. 视图可以看作物体在某一方向光线下的正投影. 对于同一个物体，如果从不同方向观察，所得到的视图可能不同. 图 29.2-1 是同一本书的三个不同的视图.

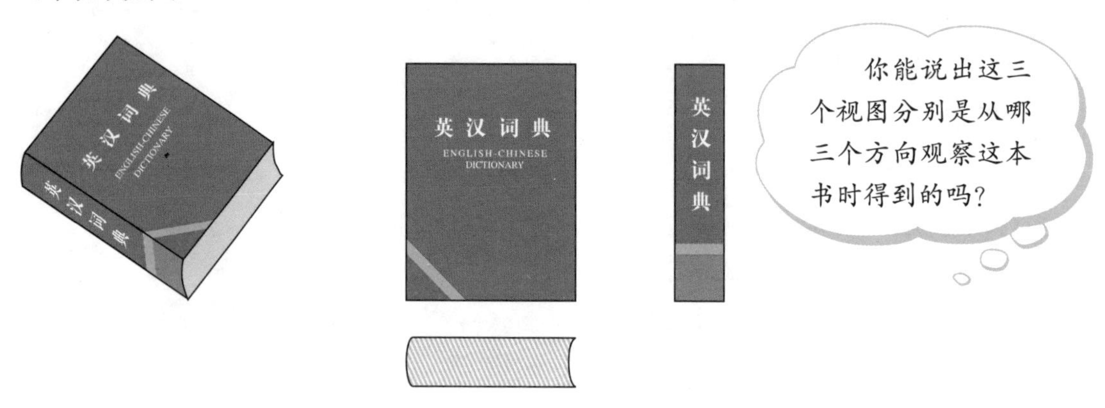

图 29.2-1

我们知道，单一的视图通常只能反映物体一个方面的形状. 为了全面地反映物体的形状，生产实践中往往采用多个视图来反映同一物体不同方面的形状. 例如图 29.2-2 中右侧的三个视图，可以多方面反映飞机的形状.

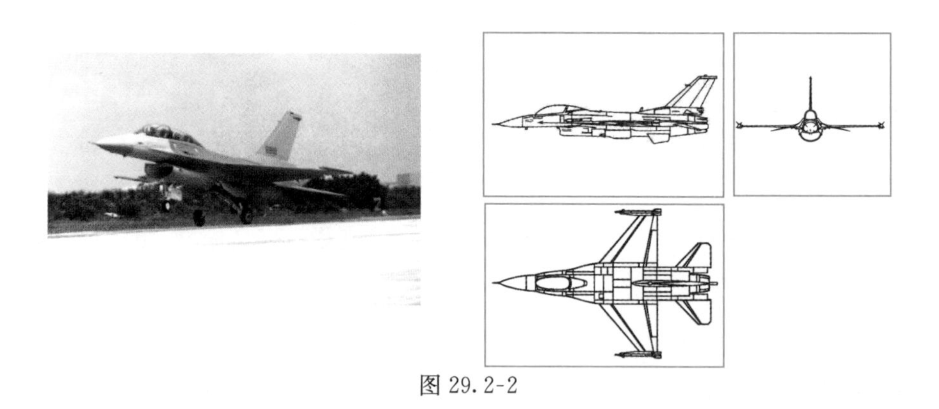

图 29.2-2

本章中，我们只讨论三视图.

如图 29.2-3(1)，我们用三个互相垂直的平面（例如墙角处的三面墙壁）作为投影面，其中正对着我们的平面叫做正面，下方的平面叫做水平面，右边的平面叫做侧面. 对一个物体（例如一个长方体）在三个投影面内进行正投影，在正面内得到的由前向后观察物体的视图，叫做主视图；在水平面内得到的由上向下观察物体的视图，叫做俯视图；在侧面内得到的由左向右观察物体的视图，叫做左视图.

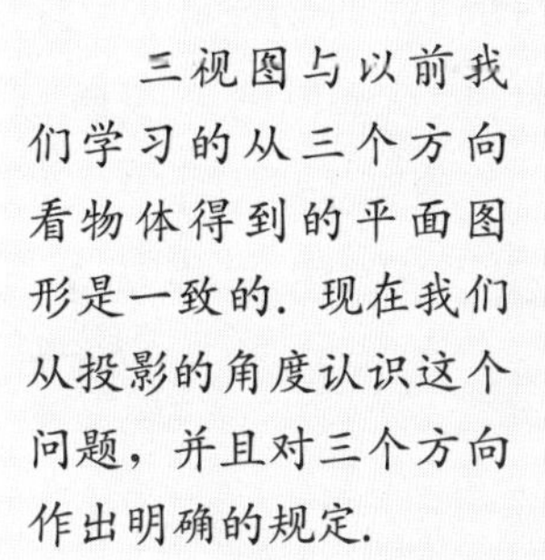

三视图与以前我们学习的从三个方向看物体得到的平面图形是一致的. 现在我们从投影的角度认识这个问题，并且对三个方向作出明确的规定.

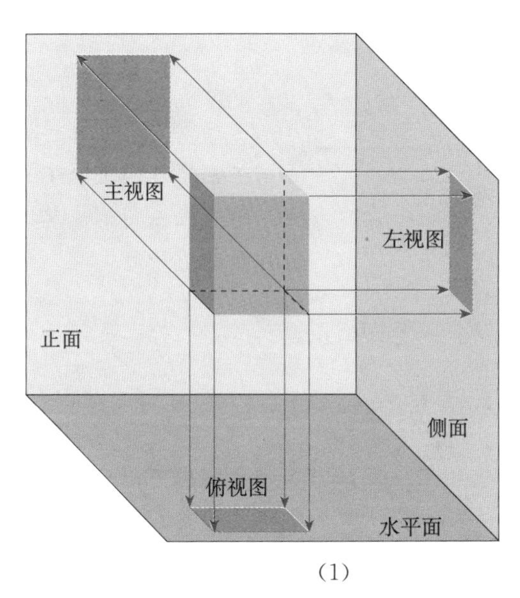

(1)

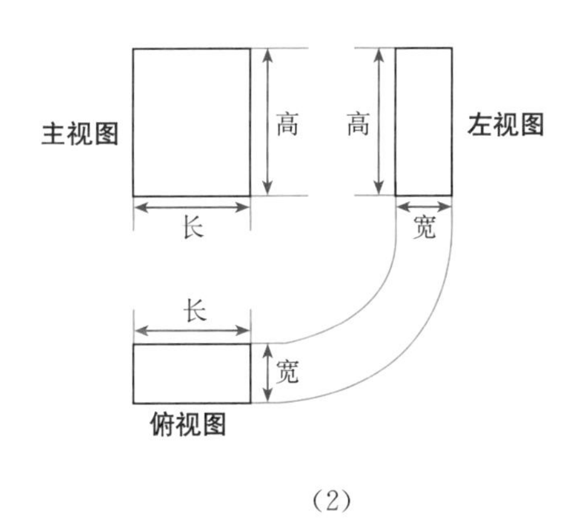

(2)

图 29.2-3

如图 29.2-3(2)，将三个投影面展开在一个平面内，得到这一物体的一张三视图（由主视图、俯视图和左视图组成）. 三视图中的各视图，分别从不同方面表示物体的形状，三者合起来能够较全面地反映物体的形状.

主视图在左上边，它的正下方是俯视图，左视图在主视图的右边.

三视图中，主视图与俯视图可以表示同一个物体的长，主视图与左视图可以表示同一个物体的高，左视图与俯视图可以表示同一个物体的宽，因此三个视图的大小是互相联系的. 画三视图时，三个视图都要放在正确的位置，并且注意主视图与俯视图的长对正，主视图与左视图的高平齐，左视图与俯视图的宽相等.

正对着物体看，物体左右之间的水平距离、前后之间的水平距离、上下之间的竖直距离，分别对应这里所说的长、宽、高.

从某一角度看物体时，有些部分因被遮挡而看不见. 为全面反映立体图形的形状，画图时规定：看得见部分的轮廓线画成实线，因被其他部分遮挡而看不见部分的轮廓线画成虚线.

在实际生活中人们经常遇到各种物体，这些物体的形状虽然各不相同，但它们一般由一些基本几何体（柱体、锥体、球等）组合或切割而成，因此会画、会看基本几何体的视图非常必要.

例 1 画出图 29.2-4 中基本几何体的三视图.

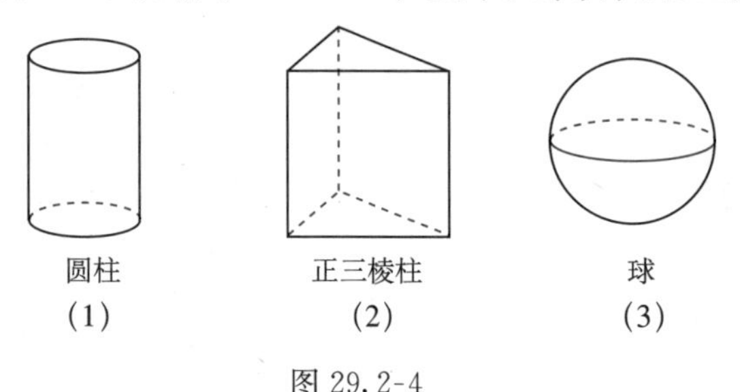

图 29.2-4

正三棱柱的上、下底面均为正三角形，其余各面都是矩形.

分析：画这些基本几何体的三视图时，要注意从三个方面观察它们. 具体方法为：

(1) 确定主视图的位置，画出主视图；

(2) 在主视图正下方画出俯视图，注意与主视图“长对正”；

(3) 在主视图正右方画出左视图，注意与主视图“高平齐”，与俯视图“宽相等”；

(4) 为表示圆柱、圆锥等的对称轴，规定在视图中加画点划线（—·—·—·—）表示对称轴.

主视图可以反映物体的长和高，俯视图可以反映物体的长和宽，左视图可以反映物体的高和宽.

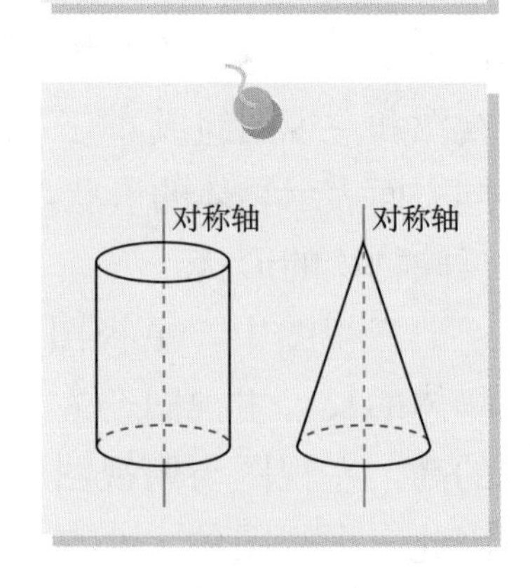

解：如图 29.2-5 所示.

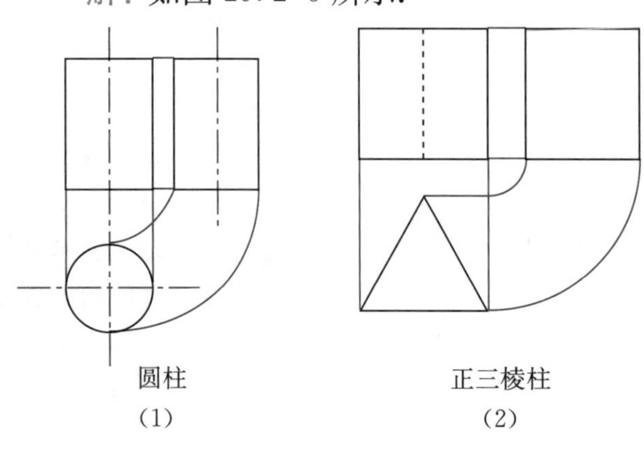

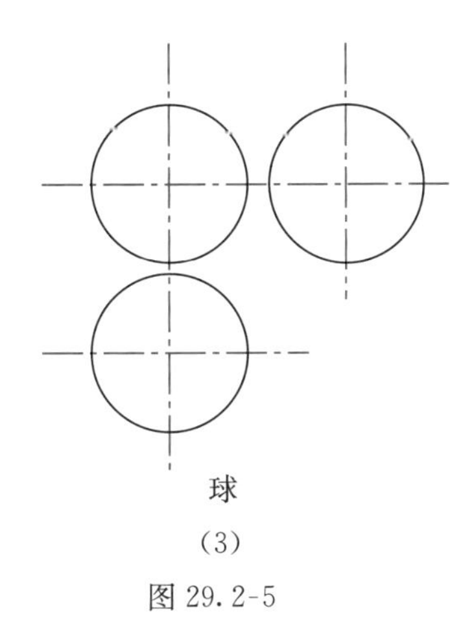

(3)

图 29.2-5

画出三视图后，可以擦去图中的辅助线.

例 2 画出图 29.2-6 所示的支架（一种小零件）的三视图，其中支架的两个台阶的高度和宽度相等.

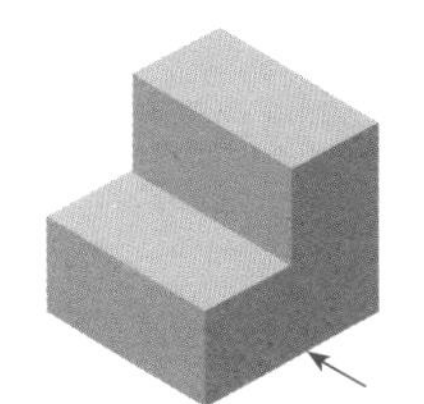

图 29.2-6

分析：支架的形状是由两个大小不等的长方体构成的组合体. 画三视图时要注意这两个长方体的上下、前后位置关系.

解：图 29.2-7 是支架的三视图.

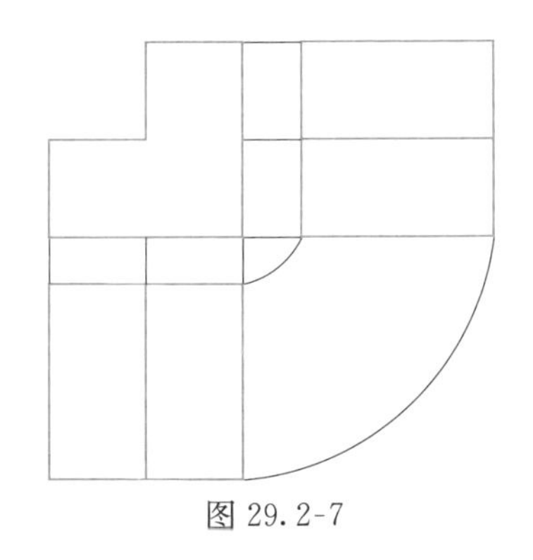

图 29.2-7

画组合体的三视图时，构成组合体的各部分的视图也要遵守"长对正，高平齐，宽相等"的规律.

练习

画出如图所示的正三棱柱、圆锥、半球的三视图.

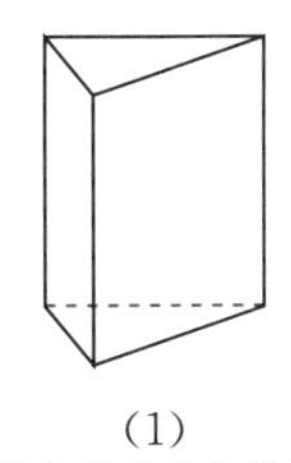

(1)

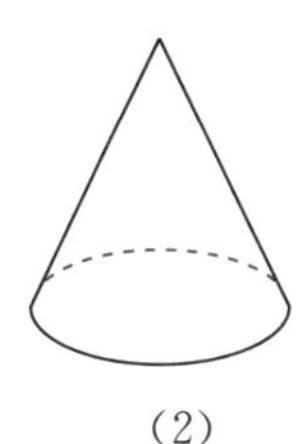

(2)

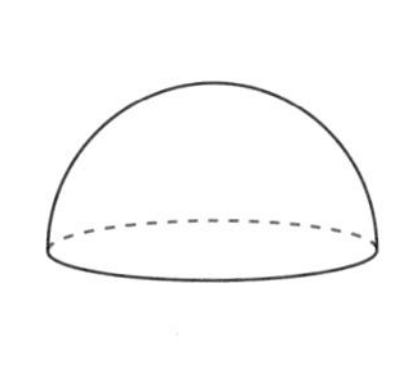

(3)

前面我们讨论了由立体图形（实物）画出三视图，下面我们讨论由三视图想象出立体图形（实物）.

例 3 如图 29.2-8，分别根据三视图（1）（2）说出立体图形的名称.

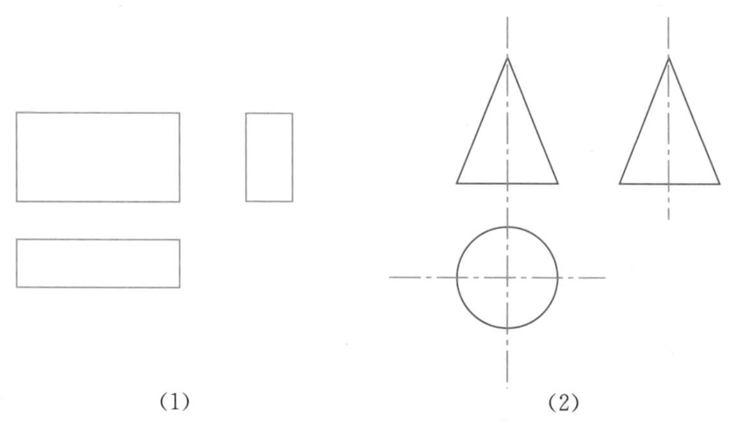

（1）　　（2）

图 29.2-8

分析：由三视图想象立体图形时，首先分别根据主视图、俯视图和左视图想象立体图形的前面、上面和左侧面，然后综合起来考虑整体图形.

解：（1）从三个方向看立体图形，视图都是矩形，可以想象这个立体图形是长方体，如图 29.2-9(1) 所示.

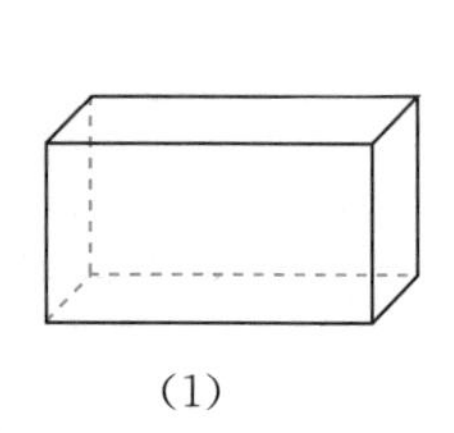

（1）　　（2）

图 29.2-9

（2）从正面、侧面看立体图形，视图都是等腰三角形；从上面看，视图是圆；可以想象这个立体图形是圆锥，如图 29.2-9(2) 所示.

例 4 根据物体的三视图（图 29.2-10），描述物体的形状.

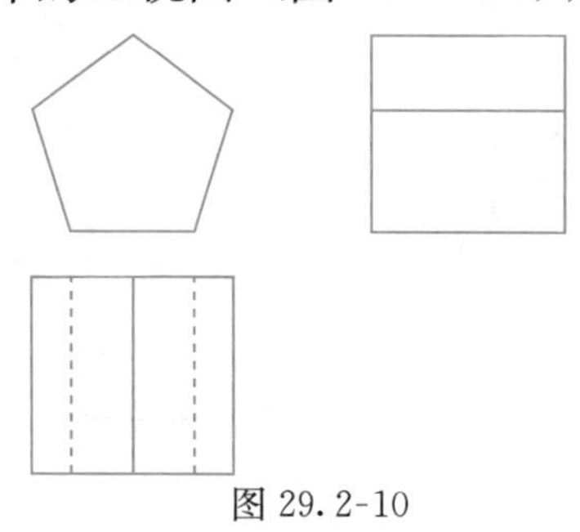

图 29.2-10

请对照三视图与想象的立体图形，指出三视图中各线条分别是立体图形哪部分的投影.

分析：由主视图可知，物体正面是正五边形；由俯视图可知，由上向下看到物体有两个面的视图是矩形，它们的交线是一条棱（中间的实线表示），可见到，另有两条棱（虚线表示）被遮挡；由左视图可知，物体左侧有两个面的视图是矩形，它们的交线是一条棱（中间的实线表示），可见到. 综合各视图可知，物体的形状是正五棱柱.

图 29.2-11

解：物体是正五棱柱形状的，如图 29.2-11 所示.

练习

根据下列三视图，描述物体的形状.

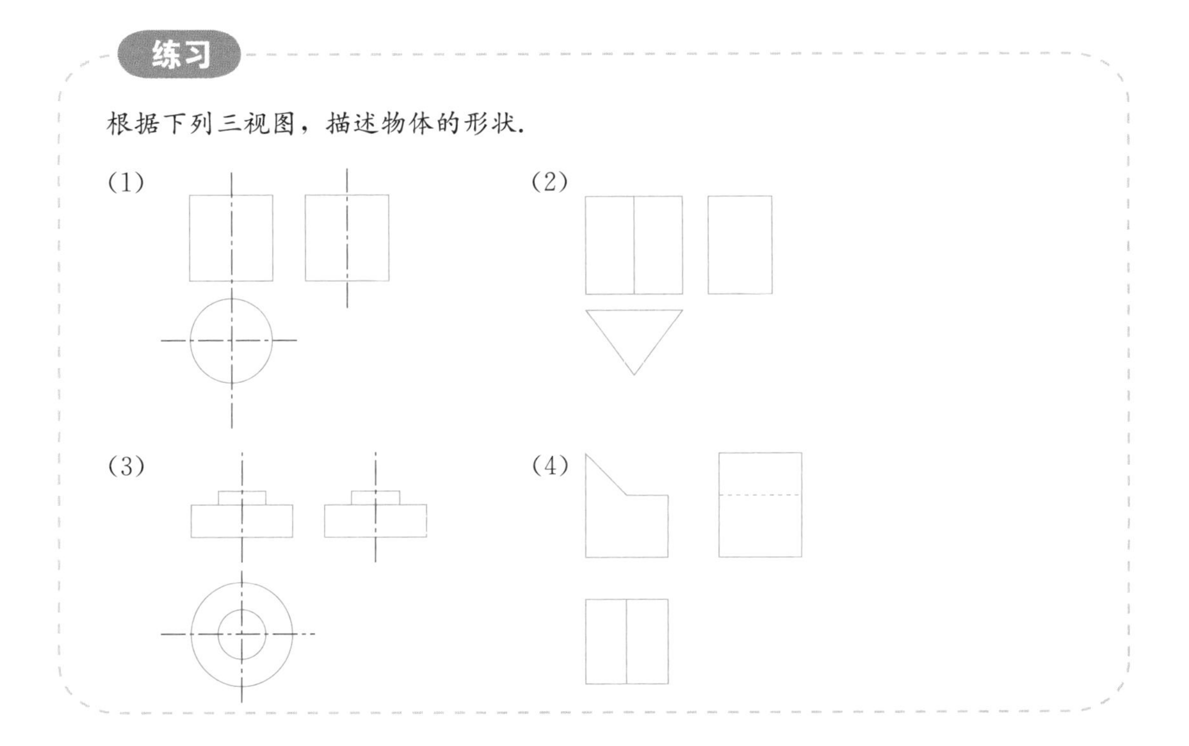

例 5　某工厂要加工一批密封罐，设计者给出了密封罐的三视图（图 29.2-12）. 请按照三视图确定制作每个密封罐所需钢板的面积（图中尺寸单位：mm）.

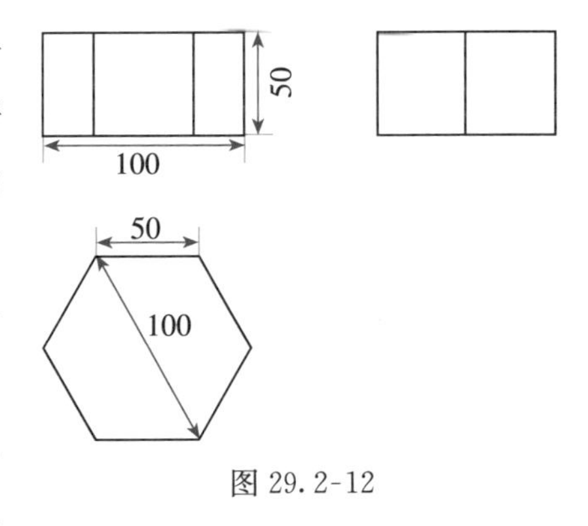

图 29.2-12

分析：对于某些立体图形，沿着其中一些线（例如棱柱的棱）剪开，可以把立体图形的表面展开成一个平面图形——展开图. 在实际生产中，三视图和展开图往往结合在一起使用. 解决本题的思路是，先由三视图想象出密封罐的形状，再进一步画出展开图，然后计算面积.

解：由三视图可知，密封罐的形状是正六棱柱（图 29.2-13).

密封罐的高为 50 mm，底面正六边形的直径为 100 mm，边长为 50 mm，图 29.2-14 是它的展开图.

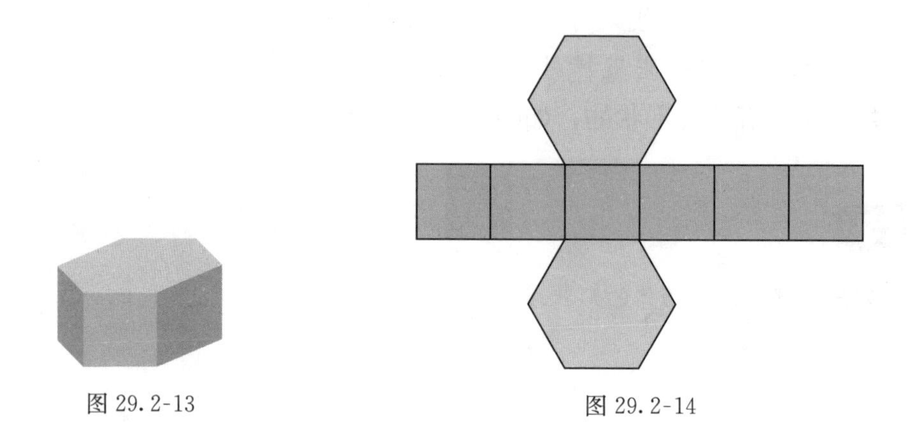

图 29.2-13　　图 29.2-14

由展开图可知，制作一个密封罐所需钢板的面积为

$$6\times50\times50+2\times6\times\frac{1}{2}\times50\times50\sin 60^\circ$$

$$=6\times50^2\times\left(1+\frac{\sqrt{3}}{2}\right)$$

$$\approx27\,990\ (\text{mm}^2).$$

练习

1. 根据下列几何体的三视图，画出它们的展开图.

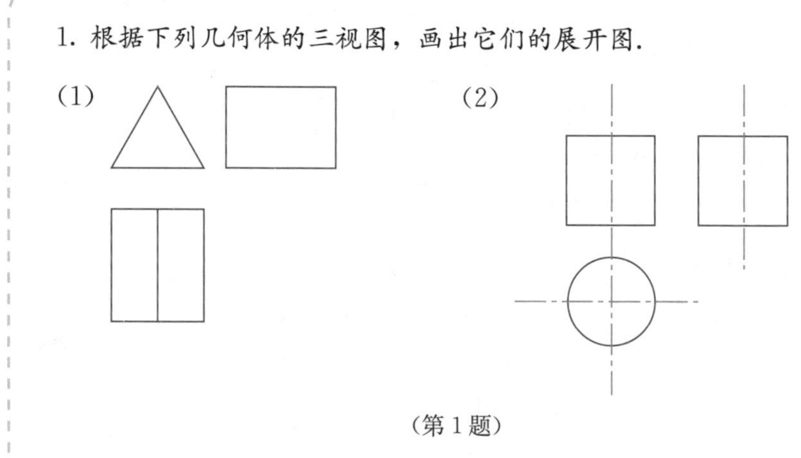

（第 1 题）

2. 某工厂加工一批无底帐篷，设计者给出了帐篷的三视图. 请你按照三视图确定每顶帐篷的表面积（图中尺寸单位：cm）.

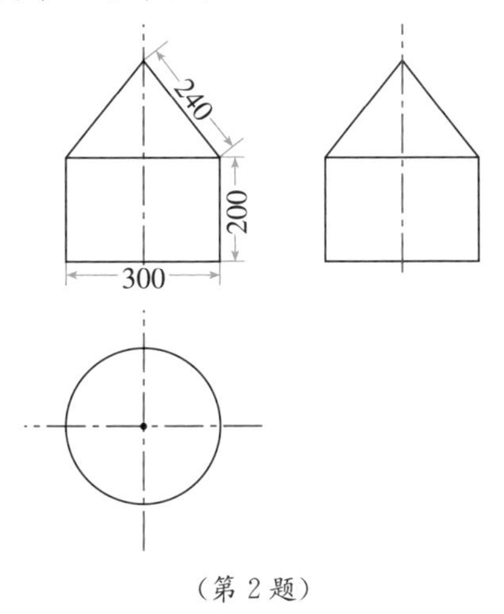

（第 2 题）

习题 29.2

复习巩固

1. 把图中的几何体与它们对应的三视图用线连接起来.

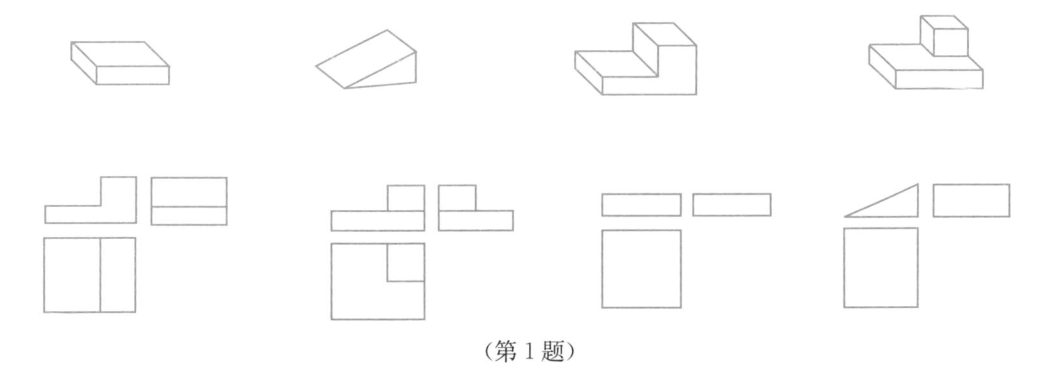

（第 1 题）

2. 画出图中几何体的三视图.

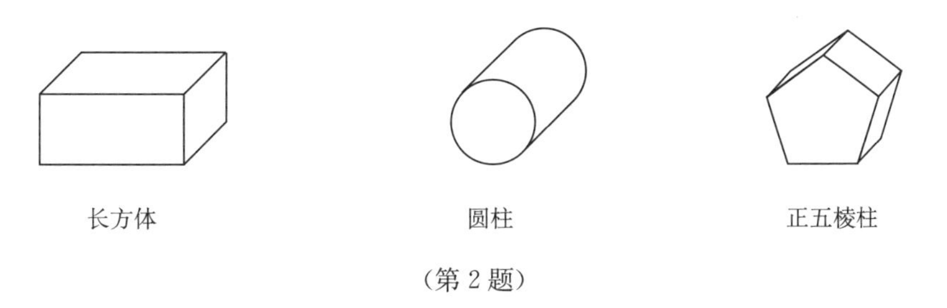

（第 2 题）

3. 球的三视图与其摆放位置有关吗？为什么？

4. 根据下列三视图，分别说出它们表示的物体的形状.

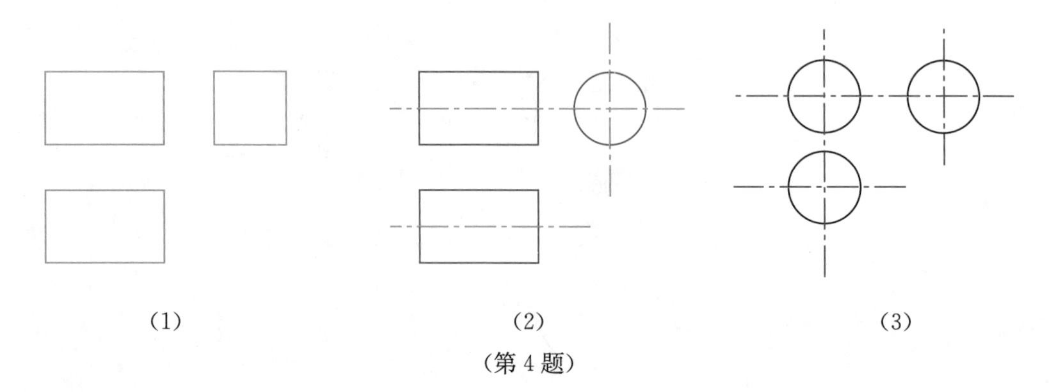

(1)　　　　(2)　　　　(3)

(第 4 题)

综合运用

5. 根据下面的三视图，说出这个几何体是由几个正方体怎样组合而成的.

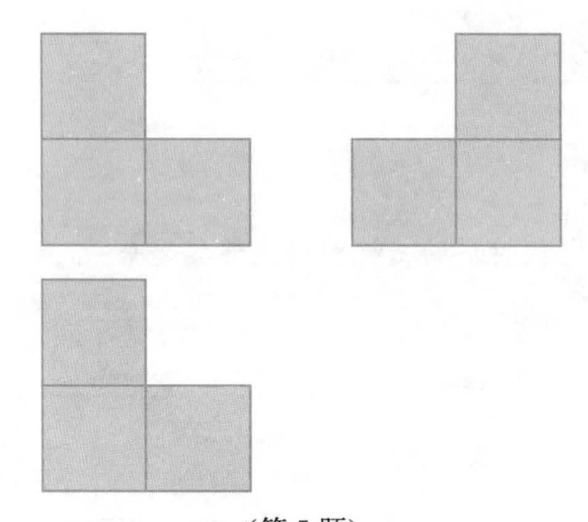

(第 5 题)

6. 分别画出图中由 7 个小正方体组合而成的几何体的三视图.

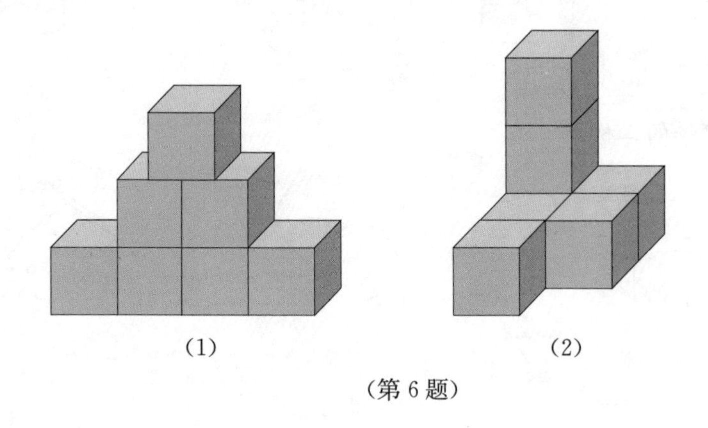

(1)　　　　(2)

(第 6 题)

7. 画出图中几何体的三视图.

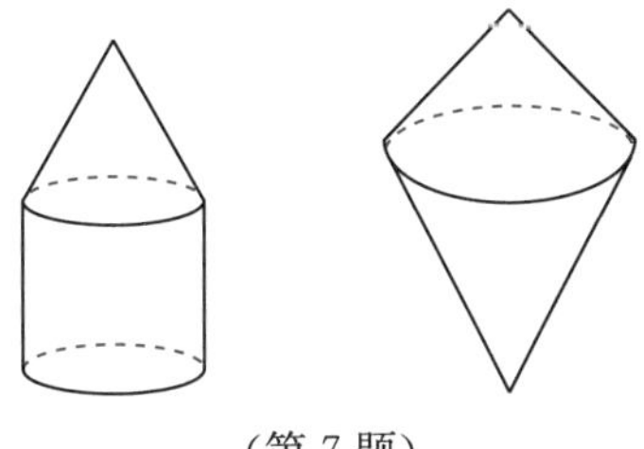

（第 7 题）

8. 根据三视图，描述这个物体的形状.

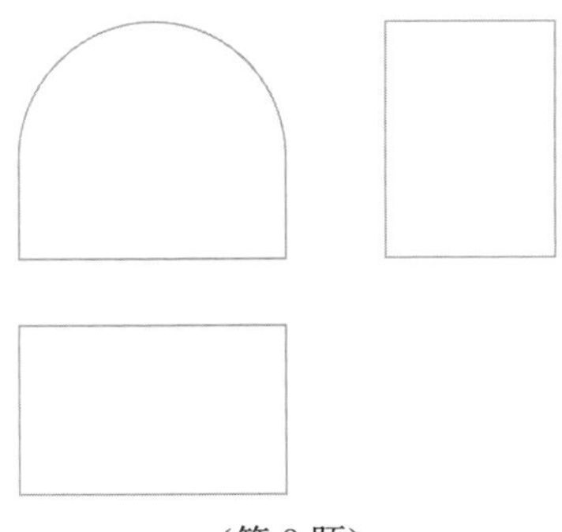

（第 8 题）

拓广探索

9. 由 5 个相同的小正方体搭成的物体的俯视图如图所示，这个物体有几种搭法？

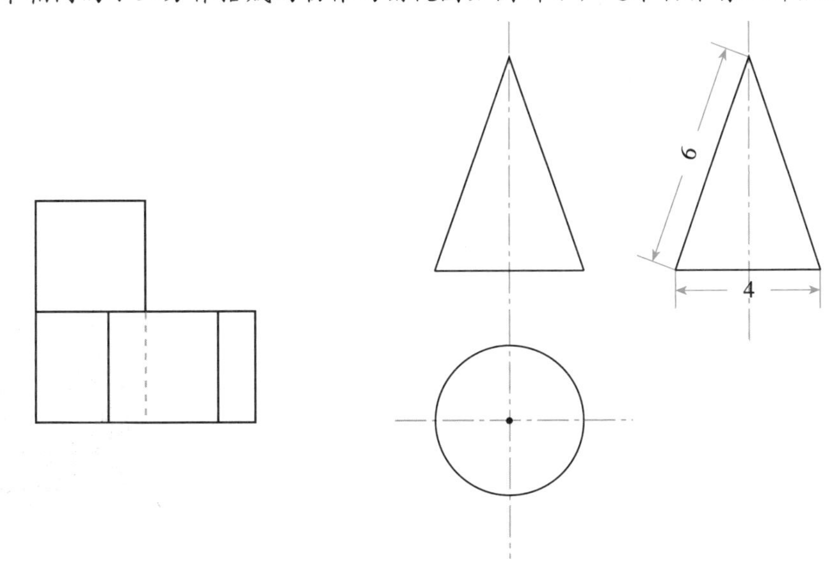

（第 9 题）　　　　（第 10 题）

10. 如图是一个几何体的三视图（图中尺寸单位：cm），根据图中所示数据计算这个几何体的表面积.

阅读与思考

视图的产生与应用

人们很早以前就认识到图形语言的特殊作用. 例如，三千多年前，古代埃及的建筑师们要清楚而详尽地表达他们设计的金字塔等建筑物，只用文字表述不行，必须画图说明. 在人们探索如何确切表示物体的立体形状的过程中，产生并发展了视图.

金字塔（埃及）

画视图要考虑视线与物体的位置关系，不同的位置关系产生不同的视觉效果，这就是说，研究视图不能不研究投影. 公元前 1 世纪，古罗马建筑师维特鲁厄斯写成了《建筑学》这部著作，其中包括水平投影、正面投影、中心投影和透视作图法的一些早期结果. 文艺复兴时期，透视理论有了较大的发展. 这一时期许多艺术作品应用了透视原理，而透视原理与中心投影有密切的关系.

意大利画家拉斐尔利用透视原理创作的名画《雅典学院》. 画面上不同时代的希腊学者济济一堂，数学家毕达哥拉斯和欧几里得也在其中.

画法几何是几何学的一个分支，视图是它研究的主要内容，投影理论是它的基础. 法国几何学家加斯帕尔·蒙日（Gaspard Monge）对画法几何的发展有重要贡献. 1764 年，蒙日用自制的测量工具画出家乡城镇的大比例平面图；1765 年，他用画法几何原理绘制了防御工程设计图，但由于军事保密的缘故，他的研究成果 30 年以后才得以公开. 1798～1799 年，蒙日的《画法几何》出版，它第一次系统阐述了在平面内绘制空间物体的一般方法. 由于画法几何在工程中有着广泛的应用，因此画法几何又被称为“工程师的语言”.

加斯帕尔·蒙日
（1746—1818）

蒙日的《画法几何》中使用的视图是二视图，二视图由主视图和俯视图组成. 后来根据实际需要，由二视图发展为今天在工程中广泛使用的三视图.

你能否举出这样的例子：两个物体的形状不同，但是它们的二视图相同？由这样的例子，你能体会到为什么三视图比二视图有更广泛的应用吗？

29.3 课题学习　制作立体模型

观察三视图，并综合考虑各视图表达的含义以及视图间的联系，可以想象出三视图所表示的立体图形的形状，这是由视图转化为立体图形的过程. 下面我们动手实践，体会一下这个过程.

一、课题学习目的

通过由三视图制作立体模型的实践活动，体验平面图形向立体图形转化的过程，体会用三视图表示立体图形的作用，进一步感受立体图形与平面图形之间的联系.

二、工具准备

刻度尺、剪刀、小刀、胶水、硬纸板、马铃薯（或萝卜）等.

三、具体活动

1. 以硬纸板为主要材料，分别做出下面的两组三视图（图 29.3-1）表示的立体模型.

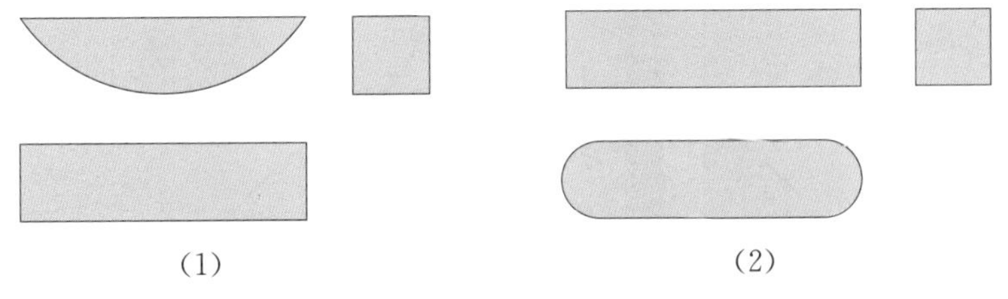

图 29.3-1

2. 按照下面给出的两组三视图（图 29.3-2），用马铃薯（或萝卜）做出相应的实物模型.

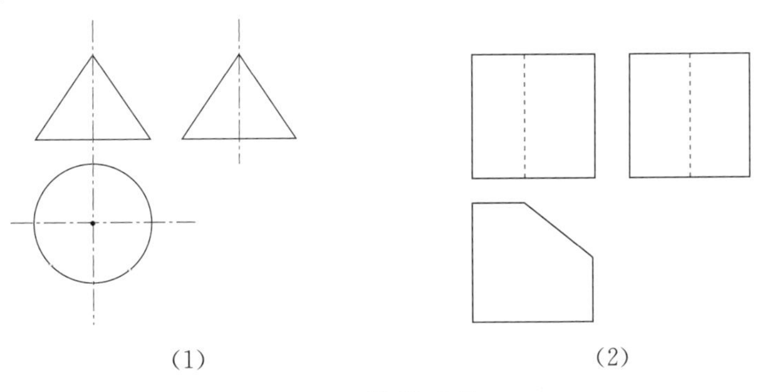

图 29.3-2

3. 下面每一组平面图形（图 29.3-3）都由四个等边三角形组成.

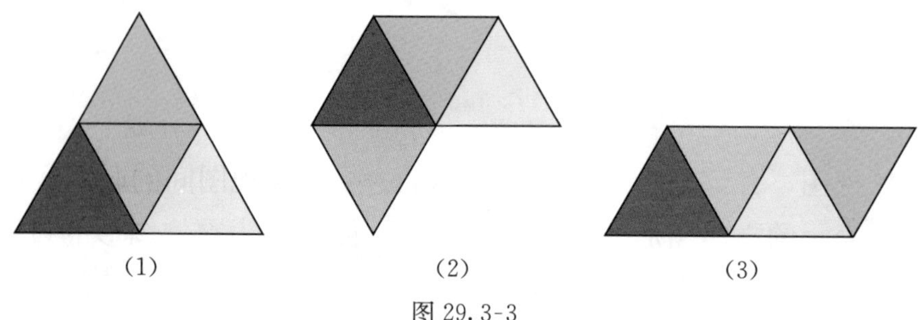

图 29.3-3

（1）其中哪些可以折叠成三棱锥？把上面的图形描在纸上，剪下来，叠一叠，验证你的结论.

（2）画出由上面图形能折叠成的三棱锥的三视图，并指出三视图中是怎样体现“长对正，高平齐，宽相等”的.

（3）如果上图中小三角形的边长为 1，那么对应的三棱锥的表面积是多少？

4. 下面的图形（图 29.3-4）由一个扇形和一个圆组成.

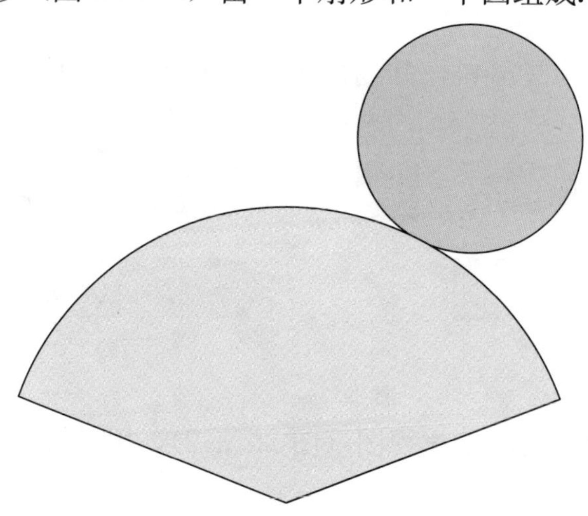

图 29.3-4

（1）把上面的图形描在纸上，剪下来，围成一个圆锥.

（2）画出由上面图形围成的圆锥的三视图.

（3）如果上图中扇形的半径为 13，圆的半径为 5，那么对应的圆锥的体积是多少？

四、课题拓广

三视图、展开图都是与立体图形有关的平面图形. 了解有关生产实际，结合具体例子，写一篇短文介绍三视图、展开图的应用.

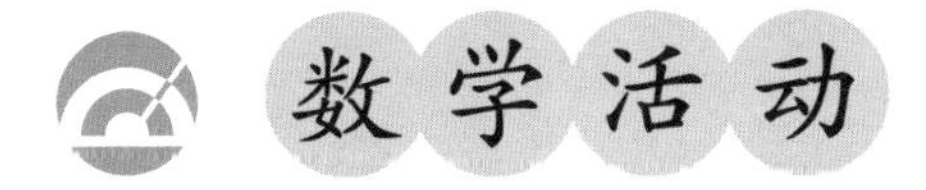

数学活动

活动1 观察物体，画出三视图

选择你熟悉的一些形状简单的物体，从不同方向观察它们，画出它们的三视图，然后请同学根据画出的视图说出物体的形状，看他们能否说对. 如果说得不对，请你考虑改进你画的图，或者与同学交流.

活动2 设计几何体，制作模型

（1）每个同学设计一个几何体，画出它的三视图.

（2）同学之间交换三视图图纸，各自按照手中的三视图制作几何体模型.

（3）进行交流，看一看：作出的模型与设计者的想法一致吗？

（4）如果不一致，请讨论，寻找原因.

活动3 设计并制作笔筒

设计你所喜欢的笔筒，画出它的三视图和展开图，制作笔筒模型. 体会设计制作过程中三视图、展开图、实物（即立体模型）之间的关系.

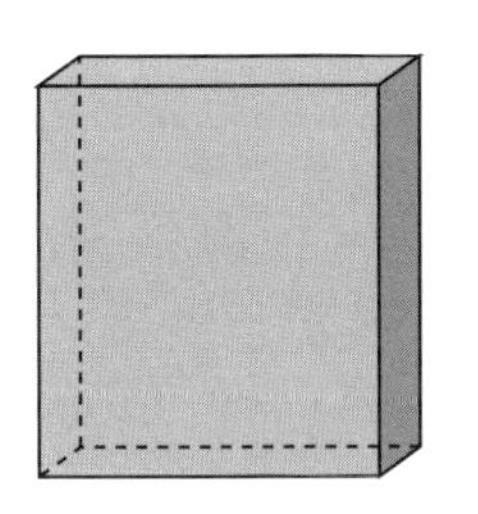 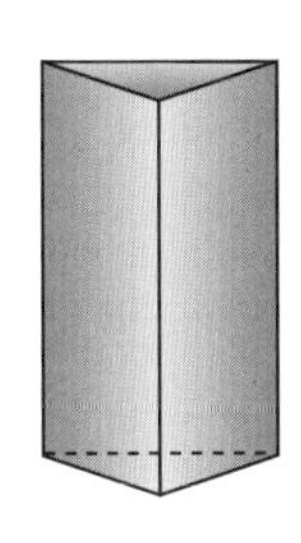 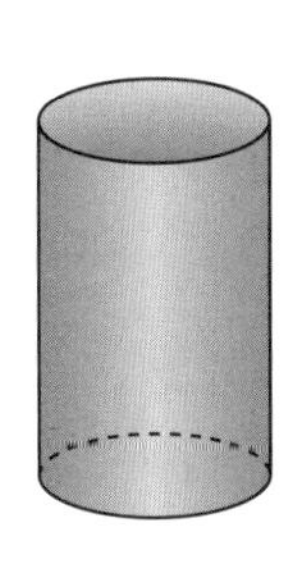

小　结

一、本章知识结构图

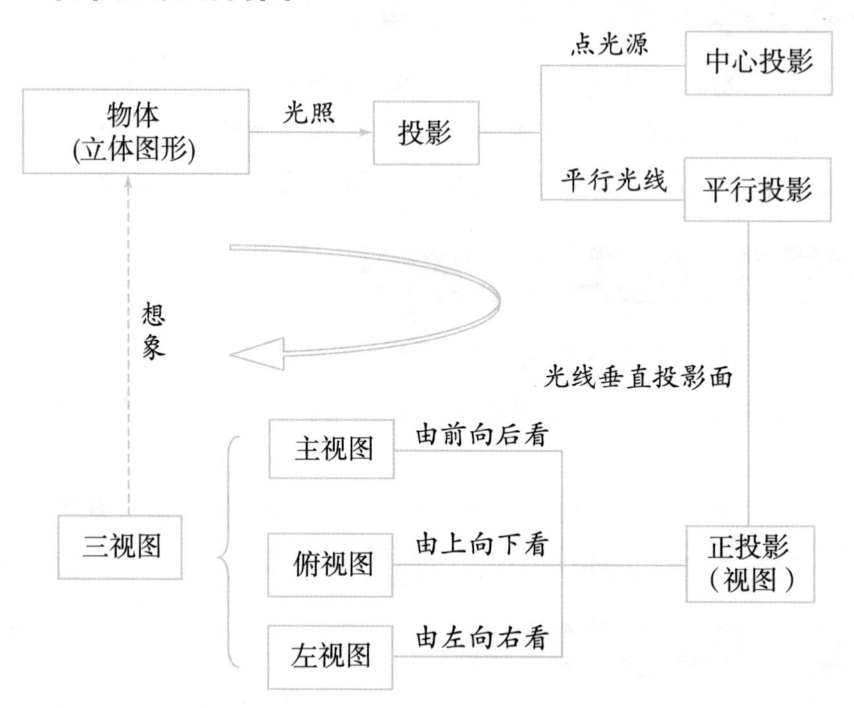

二、回顾与思考

本章我们从生活实例出发，学习了中心投影和平行投影；研究了正投影的性质．在此基础上，进一步认识了三视图，学习了简单几何体三视图的画法．

“由物画图”和“由图想物”反映了“三视图”与“立体图形（实物）”之间相互联系和转化的关系，投影原理是其实现转化的依据．通过本章学习，我们在认识中心投影、平行投影等知识的基础上，学习了一些基本几何体的三视图，并通过实例，想象立体图形与三视图的互相转化，增强了空间观念．

请你带着下面的问题，复习一下全章的内容吧．

1．什么是中心投影、平行投影？什么是正投影？

2．当平面图形分别平行、倾斜和垂直于投影面时，它的正投影有什么性质？

3．什么是三视图？它是怎样得到的？画三视图要注意什么？

4．举例说明立体图形与其三视图、展开图之间的关系．

复习题 29

复习巩固

1. 找出图中三视图对应的物体.

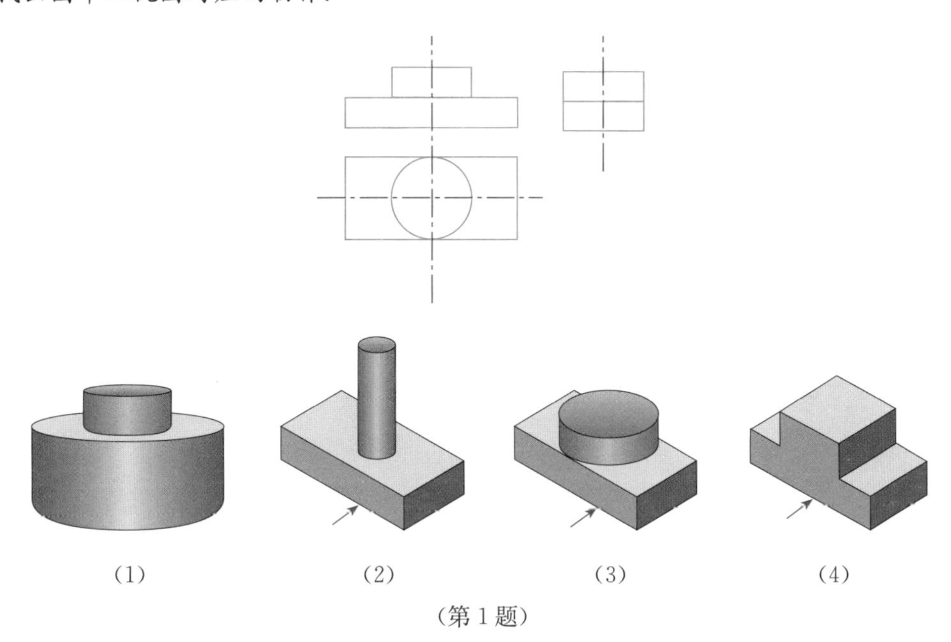

(1)　　(2)　　(3)　　(4)

（第 1 题）

2. 分别画出图中两个几何体的三视图.

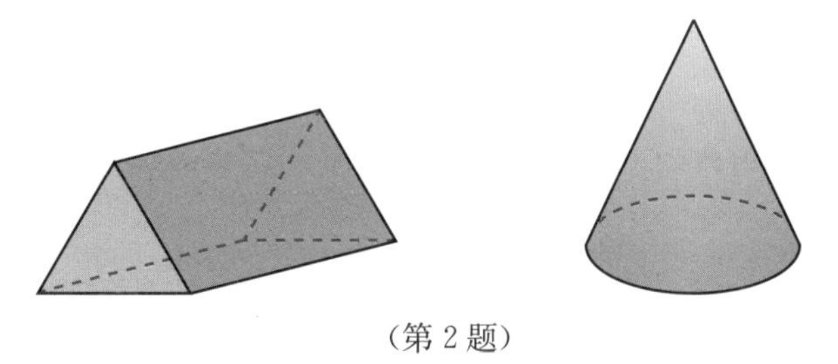

（第 2 题）

3. 根据三视图，描述这个物体的形状.

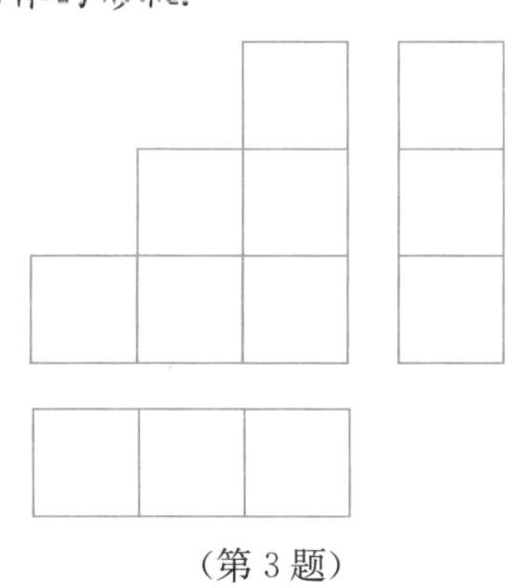

（第 3 题）

综合运用

4. 画出图中几何体（上半部为正三棱柱，下半部为圆柱）的三视图.

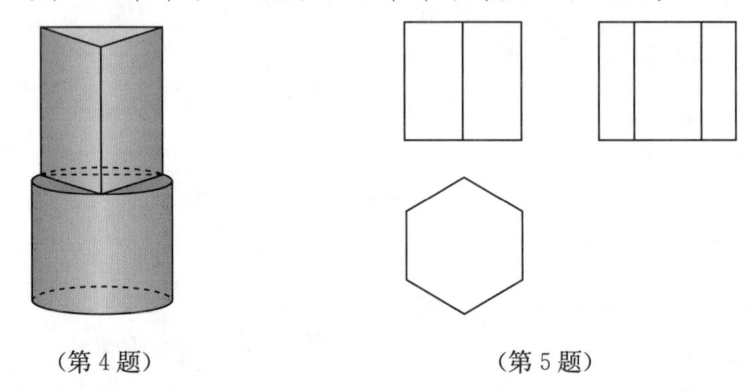

（第 4 题） （第 5 题）

5. 根据三视图，描述这个物体的形状.

6. 根据展开图，画出这个物体的三视图，并求这个物体的体积和表面积.

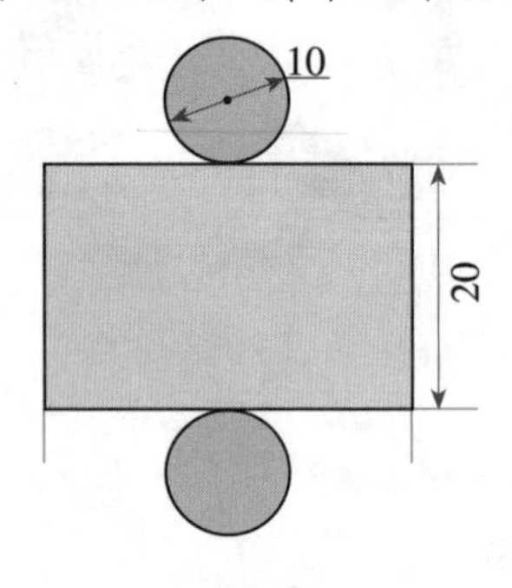

（第 6 题）

7. 根据三视图，求几何体的表面积，并画出这个几何体的展开图.

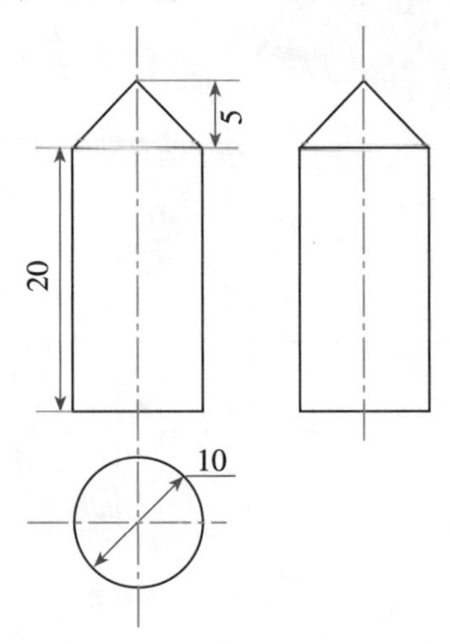

（第 7 题）

拓广探索

8. 根据下列三视图，求它们表示的几何体的体积（图中标有尺寸）.

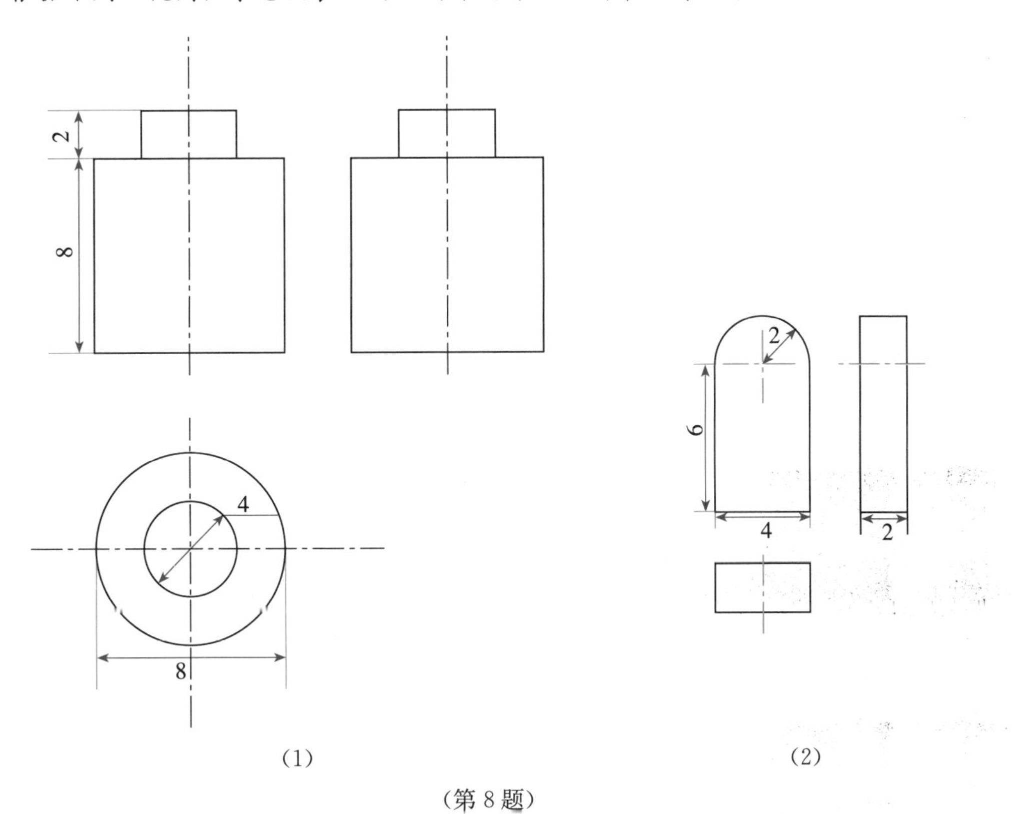

(1)　　(2)

（第 8 题）

部分中英文词汇索引

后　记

本册教科书是人民教育出版社课程教材研究所中学数学课程教材研究开发中心依据教育部《义务教育数学课程标准（2011年版）》编写的，经国家基础教育课程教材专家工作委员会2013年审查通过。

本册教科书集中反映了基础教育教科书研究与实验的成果，凝聚了参与课改实验的教育专家、学科专家、教研人员以及一线教师的集体智慧。我们感谢所有对教科书的编写、出版提供过帮助与支持的同仁和社会各界朋友，感谢整体设计艺术指导吕敬人等。

本册教科书出版之前，我们通过多种渠道与教科书选用作品（包括照片、画作）的作者进行了联系，得到了他们的大力支持。对此，我们表示衷心的感谢！但仍有部分作者未能取得联系，恳请入选作品的作者与我们联系，以便支付稿酬。

我们真诚地希望广大教师、学生及家长在使用本册教科书的过程中提出宝贵意见，并将这些意见和建议及时反馈给我们。让我们携起手来，共同完成义务教育教材建设工作！

联系方式
电　　话：010-58758321
电子邮箱：jcfk@pep.com.cn

人民教育出版社 课程教材研究所
中学数学课程教材研究开发中心
2014年8月